全国在宅医療テスト
ビギナー版 公式テキスト

たんぽぽ
先生から
学ぶ

在宅医療
報酬算定
ビギナーズ

改訂3版

著者
医療法人ゆうの森
永井康徳・江篭平紀子・永吉裕子

南山堂

は じ め に

　私は，介護保険がはじまった 2000 年に愛媛県ではじめての在宅医療専門クリニックを開業しました．開業当初は，在宅医療に精通した職員はおらず，介護保険や在宅医療の医療保険についても全く知らない職員達ばかりでした．気がつくと，「知らない」ことが当たり前の組織になっていました．訪問看護が医療保険から入るのか，介護保険から入るのかもわかっていないのです．自分が行うサービスがどこからお金が出て，自分が提供するサービスの金額がいくらなのかもわかっていませんでした．そのような状況で患者さんに説明をしたり，自信を持ってマネジメントできる訳がありません．「患者さんにとって医療者の無知は罪」になると思ったのです．

　それから私は，開業の翌年から職員向けに在宅医療の制度に対するテストを実施してきました．テストを開始した頃は職員の理解も得られず，不安や反対の意見も多く，自分たちにテストをするのかと憤慨してテストを突き返す職員さえいました．しかし，そのような職員こそ必要な知識がない職員でした．最初は，私自身がテキストを作成し，手作りのテストを職員に実施していましたが，2009 年から全国の医療機関からの要望もあり，全国の医療機関や事業所に公開して参加を広げ，「全国在宅医療テスト」を無料で実施してきました．そして，2012 年には全国在宅医療テスト公式テキスト「たんぽぽ先生の在宅報酬算定マニュアル」（日経 BP 社）を発刊しました．その後，全国在宅医療テストは，北海道から沖縄まで全国にまで広がり，2023 年度は約 3,000 人が参加するまでに規模が拡大しています．毎年，事業所単位で参加するケースも多く，年に 1 回在宅医療制度の知識を勉強する機会により，患者をマネジメントする知識の習得に役立っています．

　本書「たんぽぽ先生から学ぶ在宅医療報酬算定ビギナーズ」は，2018 年から開始した在宅医療初心者用のテストである全国在宅医療テストビギナー版の公式テキストという位置づけです．原則として，本書の章末問題からビギナー版の問題は作成されます．改訂 3 版では，2024 年の診療報酬改定を踏まえて，内容を刷新しています．

　テスト受験者以外の方も，はじめて在宅医療に取りかかる方，在宅医療を行う医療機関や訪問看護ステーション，ケアマネジャーなどの新入職員研修・初期学習にも最適です．このテストやテキストを利用し，学習することにより職員の在宅医療に関する知識は飛躍的に向上し，「知識がなくて当たり前」の組織から「知識がないと恥ずかしい」という組織に変革することができると考えています．ぜひ，ご活用下さい．

　2024 年 6 月

永井 康徳

全国在宅医療テスト（参加費無料）の受験は，医療法人ゆうの森の Web サイト（https://www.tampopo-clinic.com/）からお申し込みください．

CONTENTS

New …診療・介護報酬改定2024年度で新たに追加になった箇所

変更 …診療・介護報酬改定2024年度で変更になった箇所

在宅医療の制度
～学ぶメリットと制度の概要～

在宅医療の制度
～学ぶメリットと制度の概要～

ここで
学ぶこと

▶ 在宅医療に関わる専門職に，なぜ制度の知識が必要なのか
▶ 制度を学ぶことで得られるスキル
▶ 在宅医療に関わる専門職に必要な制度の概要

在宅医療に関わる専門職に制度の知識が必要な理由

患者に不利益をもたらしている？

　たんぽぽクリニックを開業して数年経った頃のことです．入職して半年以上経ったにも関わらず，患者マネジメントができない職員が多数いることがわかりました．患者マネジメントができないとは，「この患者は，訪問診療が週3回しか入れないのか，4回以上入れるのかが判断できないために，患者にとっての最善のケアプランを立てられない……」といったことです．

　職員たちは，在宅医療を主体とする医療法人で働きながらも，「訪問診療が週4回以上できる患者とできない患者の違いは何か？」ということであったり，訪問看護を行う看護師が，今，自分が行っているサービスが介護保険なのか，医療保険なのかわからないといった状態で，基本的な制度をいつまで経っても覚えようとしませんでした．

　自分が行うサービスの費用の出どころに無関心であっても，専門職としては患者へのケアを一生懸命に行えば，それで良いと思われるかもしれません．しかし，在宅医療の現場では患者や家族が，訪問している看護師に直接，「先々月の訪問看護は介護保険で請求されていたのに，先月は医療保険からも請求されていたけど，どうして？」と尋ねられること

が往々にして起ります．そのときに「そうなんですか？ なぜでしょうね．帰ったら事務の者から連絡させます」と答える看護師と，相手が納得できるように，自分たちが行ったサービスの理由や目的，費用の根拠を明確に答えられる看護師では，得られる信頼が天と地ほどの差になると思いませんか．

　さらには，職員が制度を知らなかったために，本来なら患者が利用できるはずのサービスを利用することができない，というような不利益を患者にもたらしてしまうことすら起こり得るのです．

在宅医療テストを重ねることで，職員の意識が変わった

　質の高い在宅医療を提供するために，制度の知識習得という人材教育は急務の課題でした．「どうすれば職員は，在宅医療の制度の知識を理解し，患者マネジメント力をつけることができるのだろう……」．悩んだ私は，在宅医療制度に関するテストを実施することにしたのです．テスト勉強のためのテキストもテスト問題も自分で作りました．

　テストを実施した当初は，職員から大きな反感を買いました．職域を区別することなく，医師からコメディカル，事務員，そして役職も関係なく，すべ

ての職員に受験を課したため，特に医師からは「なぜ，医者の自分が今さら，こんな制度の勉強をして，その上，テストまで受けなければならないのだ」と，それはひどいいわれようでした．それでも，毎年テストを実施したのです．すると，職員の意識が変わっていきました．制度の知識を持つことで，患者マネジメントができるということを実感したのだと思います．テスト勉強に前向きに取り組むようになるにつれ，毎朝行っている朝の全体ミーティングでも，職員から意見が出るようになりました．

たんぽぽクリニックでは，全職員が参加する朝の全体ミーティングで前日の申し送りや新規患者紹介を行います．そして，新規患者を紹介する際には2章で紹介する「5つの呪文」を必ず伝えるようにルール化しています．患者の5つの情報を知れば，その患者にどのような在宅サービスが利用できるかがわかるためです．すべての職員は，患者が使える在宅サービスを理解した上で，この新しい患者を多職種の力も借りてどうやってサポートしていくのかが考えられるのです．

ゆうの森創立10周年のときに知己のある全国の在宅クリニックに，このテストを受けてみないかと誘ったところ，多数の申し込みがあり，以来，このテストは「全国在宅医療テスト」として毎年開催することになりました．毎年受験者が増えて2023年は3,000人近い人が受験しています．

本書が目指すのは，在宅医療の質を上げるためのスキル

在宅医療の質を上げるために必要なスキルとは

在宅医療に関わる制度の知識を勉強すると，次の3つのスキルが身につきます．

① 自分でプランニングし，患者マネジメントができるようになる

在宅医療の制度を理解すれば，自分で患者のケアプランを考えられるようになります．

「患者が利用する在宅サービスをマネジメントするのは，ケアマネジャーの仕事であって，ケアマネジャーでない自分はプランを考える必要はない」と思っているようでは，質の高い在宅医療は提供できません．訪問は定期的であっても，その内容や意識までもが毎回同じではいけないのです．「今の状態，暮らしぶりで本当にいいのか？ 何か別のサービスを導入したら，もっと楽に，幸せになるのではないだろうか？」と患者宅を訪問するたびに考えること．関わる専門職がそのことを常に考えていたら，多職種カンファレンスでも活発な意見のやり取りができるはずです．

② 多職種連携がスムーズにできるようになる

患者が利用できる在宅サービスがわかっていれば，利用できるサービスから最善のものを提案できます．「せっかくサービスに入ってもらったのに，実は報酬が算定できませんでした．ただ働きさせてごめんなさい」ということが起こりません．お互いの制度上の制約を理解した上で，やってほしいことをお願いできるので多職種連携がスムーズになります．

また，イレギュラーなことが起こったときに，「診療報酬が出るか，出ないかわからないけど……」とあやふやなまま行うのではなく，「ただ働きにはなるけれど，ここは患者のために一肌脱ごう！」と思って行うのでは，同じ行為でも熱意が違ってくるものです．

③ 経営的視点がもてるようになれる

医療も介護も一企業が行っている限りは，利益を上げないと職員の幸せも患者の幸せも守れません．制度の知識を理解して応用できるようになると，「こういう訪問プランにすれば，患者も安心だし，事業所の利益も増す」と考えられるようになります．制度の知識を学ぶことで，患者の利益を守りながら

も，自分たちにも利益をもたらす方法を考えられる人材になれるのです．

これら3つのスキルを併せ持つ人は，組織にとっての人財にもなり得ます．在宅医療の制度の勉強をすることは，スタッフの人材育成にもつながります．

まずは，多職種連携に役立つ4分野の基礎を学ぼう

在宅医療の制度が複雑だといわれるのは，医療保険制度と介護保険制度が複雑に絡み合い，さらには福祉制度まで知っておかなければならないからです．「複雑すぎて，どこから勉強したらいいのかわからない」という方のために，本書は企画されまし

た．まず，学ぶ内容ですが本書は9章ありますが，次の4つの分野の制度に絞っています．

①在宅医療を行うクリニックが算定する診療報酬
➡3章＆4章
②訪問看護が算定できる診療報酬と介護報酬➡5章
③訪問リハビリが算定できる診療報酬と介護報酬，多職種の報酬体系➡6章＆7章
④退院支援やカンファレンスなど，多職種協働が必要なときの診療報酬，人生会議と看取り
➡8章＆9章

また患者マネジメントのポイントを随所に入れることで，制度の知識が現場で「使える」よう工夫しています．

在宅患者を取り巻く3つの制度 ①医療保険制度

国民健康保険や後期高齢者医療，健康保険などの公的な医療費保険のこと．被保険者が支払う保険料と公費により賄われており，日本では国民全員が公的医療保険で保障されています．

被保険者は病院など保険医療機関等を受診した場合，医療費を一部負担（自己負担）しますが，その割合は年齢で異なり，70歳以上の場合は所得でも異なります（図1-1）．

外来診療や入院医療，訪問診療や往診などは，この医療保険制度から診療報酬として支払われます．訪問看護や訪問リハビリテーションも，医療保険制度から診療報酬として支払われる場合があります．保険診療におけるサービスと費用の流れは図の通りです（図1-2）．

診療報酬額は，厚生労働大臣が中央社会保険医療協議会（厚生労働省の12の審議会・検討会の1

つ）の意見を聞き，2年に1度改定が行われます．

図1-1　医療費の一部負担の割合

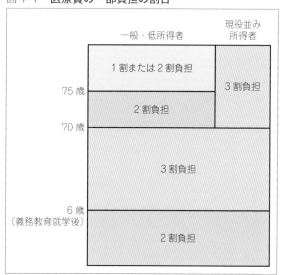

図 1-2 保険診療の流れ

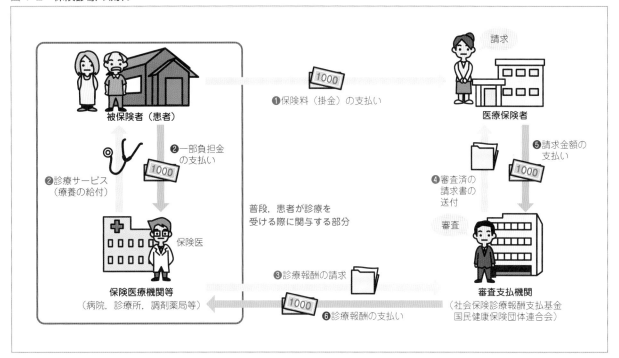

① 保険料（掛金）の支払い
被保険者（患者）
② 一部負担金の支払い
② 診療サービス（療養の給付）
保険医
普段，患者が診療を受ける際に関与する部分
保険医療機関等
（病院，診療所，調剤薬局等）
③ 診療報酬の請求
⑥ 診療報酬の支払い
請求
医療保険者
⑤ 請求金額の支払い
④ 審査済の請求書の送付
審査
審査支払機関
（社会保険診療報酬支払基金
国民健康保険団体連合会）

在宅患者を取り巻く 3 つの制度 ②介護保険制度

　家族の負担を軽減し，介護を社会全体で支えることを目的に 2000 年に施行されました．被保険者は 65 歳以上の第 1 号被保険者と 40 歳から 64 歳までの第 2 号被保険者がいます．介護保険の保険者は市町村と東京都 23 区で，介護サービス費用の 9 割（または 8 割・7 割）を給付します．公費と保険料で賄われています．

　介護保険から介護報酬として，施設サービスの他，訪問介護や通所介護（デイサービス）などの介護サービス費用が支払われますが，訪問看護や訪問リハビリテーションも介護保険の介護報酬として支払われる場合があります．報酬額は，厚生労働大臣が社会保障審議会（厚生労働省の 12 の審議会・検討会の 1 つ）の意見を聞いて定め，こちらは 3 年に 1 度改定が行われます．

介護保険，これだけは知っておきたい！

① 要介護度と 1ヵ月の区分支給限度基準額

　介護保険サービスは，要介護申請をし，要支援 1・2，要介護 1・2・3・4・5 のいずれかの認定を受けると利用できます．要介護が要支援より重く，また数字が大きい方が介護度が重くなっています．要支援 1 が最軽度，要介護 5 が最重度です．

　要介護状態の区分別に介護保険から給付される 1ヵ月の上限額（区分支給限度基準額）が決められています（表 1-1）．1 単位約 10 円で換算しますが，全国一律ではなく，都市部や離島，振興山村，山間部などで単位が異なります．利用者負担は原則としてサービスにかかった費用の 1 割，利用者の所得によっては 2 割・3 割を負担します．

②第1号被保険者と第2号被保険者

　まずは患者の年齢を確認しましょう．在宅医療に関わる人は，患者の年齢を聞いた時，40歳と65歳で頭の中で線を引く癖をつけましょう（p.21参照）．

　被保険者は，65歳以上の第1号被保険者と40歳以上65歳未満の第2号被保険者に区分されます（表1-2）．介護保険のサービスの給付を受けられる

のは，第1号被保険者と，第2号被保険者で脳血管疾患やがん末期などの老化に起因する「特定疾病」（表1-3）により介護が必要になった場合で，いずれも要介護認定を受けていることが要件となります．40歳未満の対象者は，どんな状態や疾患でも介護保険のサービス給付の対象外です．

表1-1　区分支給限度基準額

要支援1	5,032 単位
要支援2	10,531 単位
要介護1	16,765 単位
要介護2	19,705 単位
要介護3	27,048 単位
要介護4	30,938 単位
要介護5	36,217 単位

※1単位約10円換算（1単位の換算は地域により異なる）．

表1-2　介護保険サービスの給付対象

65歳以上	第1号被保険者	疾病の種類や状態は関係なく，要介護認定を受けた者は介護保険対象となる．
40歳以上65歳未満	第2号被保険者	第2号被保険者が介護保険の対象となる特定疾病（表1-3）に該当し，要介護認定を受けた者は介護保険対象となる．
40歳未満		どんな疾病や状態にある者も介護保険の対象とはならない．

> 在宅医療に関わる人は，患者の年齢を聞いた時，40歳と65歳で頭の中で線を引く癖をつけましょう．

利用できる介護保険サービス

　介護保険には，以下のようなサービスがあります．

〈主なサービス〉

自宅で利用：訪問介護，訪問看護，訪問リハビリテーション，福祉用具貸与

日帰りで施設等を利用：通所介護（デイサービス），通所リハビリテーション（デイケア）

宿泊サービス：短期入所生活介護（ショートステイ）

居住系サービス：特定施設入居者生活介護

施設系サービス：特別養護老人ホーム，介護老人保健施設など

地域密着型サービス：小規模多機能型居宅介護，看護小規模多機能型居宅介護，認知症対応型共同生活介護（グループホーム），定期巡回・随時対応型訪問介護看護など

[New] ケアプランと介護予防ケアプラン

　在宅で介護サービスを利用する場合，要介護1〜5に認定された人は居宅介護支援事業所と契約して，その事業所のケアマネジャー（介護支援専門員）と相談して介護サービス計画（ケアプラン）を作成します．要支援1・2の人は地域包括支援センターが介護予防サービス計画（介護予防ケアプラン）を作成していましたが，2024年の改定で，居宅介護支援事業者も市町村からの指定を受けて，介護予防ケアプランを作成ができるようになりました．

地域包括支援センターとは

　高齢者を支えるための地域の総合窓口，保健師・社会福祉士，主任ケアマネジャーが在籍，高齢者の相談対応や権利擁護，介護予防ケアマネジメントの他，地域ケア会議の開催，支援困難事例等への指導，助言を行うなど，地域を包括的・継続的にサポートしています．

表 1-3　第 2 号被保険者が介護保険の給付対象となる特定疾病

　第 2 号被保険者が介護保険の対象となる特定疾病には，年齢の若い第 2 号被保険者が介護保険となる対象だけに，主に若年者でも発症する「加齢に伴う疾患」に該当するものが含まれています．神経難病などの神経変性疾患や初老期認知症，早老症，脳血管疾患，変形性関節症，慢性閉塞性疾患，後縦靱帯骨化症などです．

　がんについては，もともと「がん末期」とされてきましたが，患者への配慮から，医師が医学的知見に基づき，回復の見込みがない状態に至ったと判断していれば，単に「がん」と記載するだけでも申請可能になりました．（2019 年 2 月 19 日，厚生労働省老健局老人保健課事務連絡）

　第 2 号被保険者が介護保険の給付対象となる特定疾病は暗記しておくことが望ましく，語呂合わせの暗記法を記載していますので，一度頭の中に記憶してみてください．

「第 2 号被保険者が介護保険の対象となる特定疾病」は主に加齢に伴う疾患や変性疾患があげられています．

❶ がん（末期）	❷ 関節リウマチ	❸ 筋萎縮性側索硬化症	❹ 後縦靱帯骨化症
❺ 骨折を伴う骨粗しょう症	❻ 初老期における認知症	❼ 進行性核上性麻痺，大脳皮質基底核変性症およびパーキンソン病	❽ 脊髄小脳変性症
❾ 脊柱管狭窄症	❿ 早老症	⓫ 多系統萎縮症（線条体黒質変性症，シャイ・ドレーガー症候群・オリーブ橋小脳萎縮症）	⓬ 糖尿病性神経障害糖尿病性腎症および糖尿病性網膜症
⓭ 脳血管疾患	⓮ 閉塞性動脈硬化症	⓯ 慢性閉塞性肺疾患（肺気腫・慢性気管支炎・気管支喘息・びまん性汎細気管支炎含む）	⓰ 両側の膝関節または股関節に著しい変形を伴う変形性関節症

〈第 2 号被保険者が介護保険の給付対象となる特定疾病の覚え方〉

幼少期の**ガンコ**親父は　（末期**がん**）

4 番の**パーキング**で**国家**と**校歌**を歌い

（パーキンソン関連 4 疾患：パーキンソン病，進行性核上性麻痺，大脳皮質基底核変性症，多系統萎縮症）（後縦靱帯**骨化**症）（筋萎縮性側索**硬化**症）

君が代〜♪

青年期の**ガンコ**親父は**浪人**して，**結果**しかられる

（初**老**期における**認知**症）（**脳血管**疾患）

老年期の**ガンコ**親父は**骨**が**少々**，**関節変形**した上に

（**骨折**を伴う**骨**粗しょう症）（脊髄**小脳**変性**症**）（両側の膝**関節**または股**関節**に著しい**変形**を伴う変形性関節**症**）

とうとう**閉塞**，**狭窄**して

（糖尿病 3 大合併症／糖尿病性神経障害，糖尿病性腎症，糖尿病性網膜症）（**閉塞**性動脈硬化症）（脊柱管**狭窄**症）

「**ハイ**！**リウマチ**で**候**」

（慢性閉塞性**肺**疾患）（関節**リウマチ**）（**早老**症）

リウマチです！　リウマチです！

在宅患者を取り巻く 3 つの制度 ③障害福祉制度・公費負担医療制度

在宅医療と関係が深い福祉制度には，「障害者福祉制度」と「公費負担医療制度」があります．

障害者福祉制度

障害者施策の法律には，障害者基本法を土台にし，身体障害者福祉法・知的障害者福祉法などの障害種別ごとの法律があります．さらに障害者の日常生活を支える福祉サービスや医療については，「障害者総合支援法」という法律で定めています．

① 障害者手帳

障害者手帳には「身体障害者手帳」，「精神障害者保健福祉手帳」，「療育手帳」の 3 種があります．障害者手帳を取得すると，申請によって各種の手当が支給されたり，税金の控除や免除，医療費の助成が受けられます．また，NHK の受信料の減免や携帯電話の電話料の割引，JR や航空会社など各種交通機関の利用料の割引，博物館や美術館の入場料の割引など，公共料金や民間会社が実施する割引制度も利用できます．身体障害者手帳については p.24 でも解説しています．3 つの障害者手帳の交付対象となる障害と特徴を紹介します．

〈「身体障害者手帳」の交付対象となる障害と特徴〉

身体障害者福祉法に定める障害程度に該当すると認められた場合に本人（15 歳未満はその保護者）の申請に基づいて交付される．障害の程度によって 1・2・3・4・5・6・7 級がある（交付は 1〜6 級まで）．1 級が最重度．

手帳の交付対象となる障害：「視覚障害」，「聴覚または平衡機能の障害」，「音声機能，言語機能，または咀嚼機能の障害」，「肢体不自由」，「心臓，腎臓または呼吸器の機能障害」，「膀胱または直腸の機能障害」，「小腸の機能障害」，「ヒト免疫不全ウィルスによる免疫機能障害」，「肝臓機能の障害」．

〈「精神障害者保健福祉手帳」の交付対象となる障害と特徴〉

精神障害者保健福祉手帳は，一定の精神障害の状態にあると診断された場合，本人の申請により交付される．手帳の有効期間は 2 年．障害の程度により 1・2・3 級があり，1 級が最重度．

手帳の交付対象となる障害：「統合失調症」，「うつ病，双極性障害などの気分障害」，「てんかん」，「発達障害」など．

〈「療育手帳」の交付対象となる障害と特徴〉

「療育手帳」は，知的障害のある人に交付される手帳．知的障害の定義の一つに「18 歳未満に生じること」があり，大人になって知的機能に障害を負った場合は対象外になる．療育手帳は法律ではなく，国の通知に基づいているため全国一律の制度ではなく，自治体により手帳の名称や障害等級の区分方法も異なる．

② 障害者総合支援法によるサービス

サービスを利用するには，障害支援区分の認定を受ける必要があります．障害支援区分とは，障害の特性や心身の状態に応じて必要とされる標準的な支援の度合いを「非該当」から区分 1・2・3・4・5・6 の 7 段階に分けたもの．市町村に申請し，主治医の意見書や調査員による訪問調査，1 次判定，2 次判定を経て市町村により認定されます．区分によって利用できるサービスが決められていますが，どのサービスが利用できるかは市町村によって異なります．

〈主なサービス〉

介護給付：居宅介護（ホームヘルプ）・重度訪問介護・短期入所・療養介護・生活介護・施設入所支援など．

訓練等給付：自立訓練（機能訓練・生活訓練）・就労移行支援・就労継続支援（A型・B型）など．

相談支援：基本相談支援・地域相談支援・計画相談支援など．

自立支援医療：更生医療・育成医療・精神通院医療．

補装具

公費負担医療制度

　医療保障制度として，医療費の全額もしくは大部分を国や地方公共団体が医療給付を行う公費負担医療制度があります．個々の法律に基づいて特定の人に対して給付され，公費が優先されるもの，医療保険や介護保険が優先されるものなど様々です．在宅医療に関係が深いものをまとめました（表1-4〜6）．

表1-4　在宅医療に関係が深い公費負担医療制度

制度名	対象者	患者自己負担
自立支援医療	身体障害者（児）精神障害者（児）	公費負担は原則医療費の90%で医療保険優先，残りを公費が負担．患者の負担は医療費の10%または負担上限月額まで．
変更　特定疾病（指定難病）医療費助成	対象となる341種の指定難病患者	医療保険・介護保険で給付した残りの自己負担分を公費負担．患者負担は2割が上限．1ヵ月の上限額が設けられている．1ヵ月の患者負担限度額は医療保険の世帯単位で所得に応じて変わる．
小児慢性特定疾病医療費助成	18歳未満の小児慢性特定疾病の患者	医療保険で給付した残りの自己負担分を公費負担．患者負担は2割が上限．1ヵ月の上限額が設けられている．1ヵ月の患者負担限度額は医療保険の世帯単位で所得に応じて変わる．
医療扶助	生活保護の決定を受けた生活困窮者	医療保険，公費負担医療適用後の残り自己負担分に生活保護を適用．国民健康保険，後期高齢者医療では生活保護適用と同時に被保険者資格を喪失，生活保護単独で医療を給付．患者負担は生活困窮の程度による．

表1-5　小児慢性特定疾病患者の自己負担上限額（月額）

階層区分	年収の目安（夫婦2人子ども1人世帯の場合）		自己負担上限額		
			一般	重症※	人工呼吸器等装着者
I	生活保護等		0円		
II	市区町村民税非課税	低所得I（〜約80万円）	1,250円		
III		低所得II（〜約200万円）	2,500円		
IV	一般所得I（市区町村民税7.1万円未満〜約430万円）		5,000円	2,500円	500円
V	一般所得II（市区町村民税25.1万円未満，〜約850万円）		10,000円	5,000円	
VI	上位所得（市区町村民税25.1万円以上，約850万円〜）		15,000円	10,000円	
	入院時の食費		1/2 自己負担		

※「重症」とは，①高額な医療費が長期的に継続する者（医療費総額が5万円/月（例えば医療保険の2割負担の場合，医療費の自己負担が1万円/月）を超える月が年間6回以上ある場合），②現行の重症患者基準に適合するもののいずれかに該当．

特定疾病（指定難病）への医療費助成制度

2015 年に「難病の患者に対する医療費等に関する法律（難病法）」の施行や「児童福祉法の一部を改正する法律」に基づき，新しい医療助成制度が始まりました．特定疾病（指定難病）の医療費助成には以下の注意ポイントがあります．

1 対象者
・疾病に該当し，一定の症状のある患者が助成対象となる．
・18 歳未満の児童・小児と 18 歳以上の成人では，疾病の種類や数が違う．

　児童・小児→原則 18 歳未満が対象．小児慢性特定疾病 16 疾患群 788 疾病（包括的病名を除く）がある．

　成人→原則 18 歳以上　341 疾病ある．
・難病指定の申請には診断書（臨床個人調査票）が必要で，都道府県が指定した難病指定医が記載する．更新申請の場合は，都道府県が指定した協力難病指定医でも記載可．
・症状が軽く助成対象とならないものの，高額な薬剤を服用し続ける必要があり，1ヵ月の医療費総額が 3 万3,330 円を超える月が年 3 回以上ある患者は，「軽症高額該当者」として指定難病患者と同じ助成が受けられる．

2 助成内容
・制度改正に伴って指定難病患者の医療費は自己負担割合が 2 割になったが，改正前に 1 割だった患者は引き続き 1 割負担となる．
・公費助成の上限は，受診した複数の医療機関で支払った負担額を合算したものであり，訪問看護，院外処方による薬剤費も合算する．
・公費助成されるのは，認定患者に交付される特定医療費受給者証に記された疾患と，付随して発現する傷病の医療費の自己負担分のみ．それ以外の傷病名については助成されない．
・介護予防を含む介護保険の訪問看護，訪問リハビリテーション，居宅療養管理指導，介護療養施設サービスや介護医療院サービスも助成の対象となるが，これ以外のサービスや，はり・きゅう，マッサージなどは対象外．
・1ヵ月の医療費総額が 5 万円（2 割負担の場合，自己負担 1 万円）を超える月が年 6 回以上ある患者は，申請すればそれ以降の自己負担上限額をより低く抑えられる．

表 1-6　難病患者の自己負担上限額（月額）

階層区分	階層区分の基準（カッコ内の数字は，夫婦 2 人世帯の場合における年収の目安）		自己負担上限額（外来＋入院）（患者負担割合：2 割）		
			一般	高額かつ長期※	人工呼吸器等装着者
生活保護	−		0 円	0 円	0 円
低所得Ⅰ	市区町村民税非課税（世帯）	本人年収〜80 万円	2,500 円	2,500 円	
低所得Ⅱ		本人年収80 万円超〜	5,000 円	5,000 円	
一般所得Ⅰ	市区町村民税課税以上 7.1 万円未満（約 160 万円〜約 370 万円）		10,000 円	5,000 円	1,000 円
一般所得Ⅱ	市区町村民税7.1 万円以上 25.1 万円未満（約 370 万円〜約 810 万円）		20,000 円	10,000 円	
上位所得	市区町村民税25.1 万円以上（約 810 万円〜）		30,000 円	20,000 円	
入院時の食費			全額自己負担		

※「高額かつ長期」とは，月ごとの医療費総額が 5 万円を超える月が年間 6 回以上ある者（例えば医療保険の 2 割負担の場合，医療費の自己負担加 1 万円を超える月が年間 6 回以上）．

在宅医療に関係する医療制度，介護制度のなかには，この疾患，この状態に該当すると特例が認められるものがあります．代表的なものには【特掲診療料の施設基準等別表第7に掲げる疾病等】と【特掲診療料の施設基準等別表第8に掲げる状態等】があります．本書では，それぞれ【厚生労働大臣が定める疾病等別表第7（表1-7）】，【厚生労働大臣が定める状態等別表第8（表1-8)】として紹介しています．特例の内容は各章に説明しています．2024年改定で，厚生労働大臣が定める状態等別表第8の該当要件が若干変更になっています．在宅悪性腫瘍等患者指導管理料が在宅麻薬等注射指導管理料に名称変更され，また在宅腫瘍化学療法注射指導管理，在宅強心剤持続投与指導管理を受けている状態にある患者が追加になりました．

表1-7　厚生労働大臣が定める疾病等別表第7

❶ 末期の悪性腫瘍	❷ 多発性硬化症	❸ 重症筋無力症
❹ スモン	❺ 筋萎縮性側索硬化症	❻ 脊髄小脳変性症
❼ ハンチントン病	❽ 進行性筋ジストロフィー症	

❾ パーキンソン病関連疾患
　（a）進行性核上性麻痺　　（b）大脳皮質基底核変性症
　（c）パーキンソン病（ホーエン・ヤールの重症分類Ⅲ度以上かつ生活機能障害度がⅡまたはⅢ度）

❿ 多系統萎縮症
　（a）線条体黒質変性症　　（b）オリーブ橋小脳萎縮症
　（c）シャイ・ドレーガー症候群

⓫ プリオン病	⓬ 亜急性硬化性全脳炎	⓭ ライソゾーム病
⓮ 副腎白質ジストロフィー	⓯ 脊髄性筋萎縮症	⓰ 球脊髄性筋萎縮症
⓱ 慢性炎症性脱髄性多発神経炎	⓲ 後天性免疫不全症候群	⓳ 頸髄損傷

⓴ 人工呼吸器を使用している状態（*ASVは含まれない）
　* ASVとは，マスク式の人工呼吸器で，睡眠時無呼吸症候群の患者などに使用する．

〈厚生労働大臣が定める疾病等別表第7の覚え方〉

無力な相撲をとって
（重症筋**無力**症）（**スモン**）

プリンを作る**レシピ**を考えたのに
（**プリオン**病）（人工呼吸器（**レスピレーター**）を使用している状態）

2回トロフィーが**パー**になり
（進行性筋ジ**ストロフィー**）
（副腎白質ジ**ストロフィー**）
（**パー**キンソン病関連疾患）

ハンストすると**小脳**が**4回萎縮**して
（**ハンスト**ン病）（脊髄**小脳**変性症）
（筋**萎縮**性側索硬化症）（多系統**萎縮**症）
（頸髄性筋**萎縮**症）
（球脊髄性筋**萎縮**症）

せっかくの鳥の**頸髄**を**脱髄**して
（**頸髄**損傷）（慢性炎症性**脱髄**性多発神経炎）

ガーン，**AIDS**には**多発性**に効果なし
（**ガン**／末期の悪性腫瘍）
（**AIDS**（後天性免疫不全症候群））
（**多発性**硬化症）

農園で採った**ライム**を入れて
（亜急性硬化性全**脳炎**）（**ライソ**ゾーム病）

11

変更　表 1-8　厚生労働大臣が定める状態等別表第 8

❶ ・在宅麻薬等注射指導管理，在宅腫瘍化学療法注射指導管理，在宅強心剤持続投与指導管理，在宅気管切開患者指導管理を受けている状態にある者
　・気管カニューレ，留置カテーテル（胃ろう含む）を使用している状態にある者

❷ 以下の指導管理を受けている状態にある者
　・在宅自己腹膜灌流指導管理
　・在宅血液透析指導管理
　・在宅酸素療法指導管理
　・在宅中心静脈栄養法指導管理
　・在宅成分栄養経管栄養法指導管理
　・在宅自己導尿指導管理
　・在宅人工呼吸指導管理
　・在宅持続陽圧呼吸療法指導管理
　・在宅自己疼痛管理指導管理
　・在宅肺高血圧症患者指導管理

> 介護保険の場合，長時間訪問看護加算などの要件になる「厚生労働大臣が定める状態等別表第 8」では，❷の「在宅人工呼吸指導管理」は対象外になる（人工呼吸器をつけている時点で，訪問看護は医療保険を利用するため）．また❺については在宅患者訪問点滴注射管理指導料は週 3 日以上の点滴注射を実施した場合に算定するので，「点滴注射を週 3 日以上行う必要があると認められる状態」と読み替えよう．

❸ 人工肛門または人工膀胱を設置している状態にある者

❹ 真皮を越える褥瘡の状態にある者

❺ 在宅患者訪問点滴注射管理指導料を算定している者

「厚生労働大臣が定める疾病等別表第 7」に該当する患者には，こんなメリットがある

　各章でも紹介しますが，訪問看護でのメリットをここでまとめて先に紹介します．

　訪問看護は，要介護認定を受けている人の場合，原則的には介護保険サービスとなりますが，難病やターミナル状態などの「厚生労働大臣が定める疾病等別表第 7」の患者への訪問看護では，医療保険となります．また，訪問診療は週 4 回以上の訪問が可能となるなど以下のような様々な特例が認められています．

（1）訪問看護が医療保険対象となる．
（2）通常の医療保険からの訪問看護では，週に 3 日までの回数制限があるが，対象疾病に該当すれば，回数制限がなくなる．
（3）通常の医療保険からの訪問看護では，1 ヵ所の訪問看護ステーションしか利用できないが，対象疾病に該当すれば，2 ヵ所の訪問看護ステーションを利用することができる．さらに，毎日訪問する必要がある場合は 3 ヵ所の訪問看護ステーションを利用できる．
（4）通常の医療保険からの訪問看護では 1 日 1 回しか訪問看護に入れないが，対象疾病に該当すれば，「難病等複数回訪問加算」として，主治医が複数回の訪問を必要と認めて指示すれば，1 日 2 回から 3 回以上の訪問ができる．
（5）訪問診療が週 4 回以上可能となる．
（6）複数名での訪問看護が可能となる．
（7）退院日や外泊時の訪問看護が可能となる．
（8）認知症対応型共同生活介護（グループホーム）や特定施設に入居中でも訪問看護が可能になる．

　「厚生労働大臣が定める疾病等別表第 7」に該当すれば，様々なメリットが活用できるので見逃さないようにしましょう．

章末問題

問 1-1

70歳以上75歳未満の人の医療費の一部負担の割合は1割で，現役並みの所得がある人は3割となる．

問 1-2

介護保険サービスは，介護が必要な人なら誰でも利用できる．

問 1-3

介護保険は都道府県が保険者で，40歳以上の人が被保険者である．

問 1-4

診療報酬も介護報酬も2年に1度改定される．

問 1-5

介護保険は，要介護状態の区分別に介護保険から給付される区分支給限度基準額が決められており，基準額を超えた分は利用者の全額負担となる．

問 1-6

介護保険サービスの利用者負担割合は，利用者の所得によらず区分支給限度基準額内のサービスにかかった費用の1割である．

問 1-7

パーキンソン病ヤールⅢや脊髄小脳変性症は，「厚生労働大臣が定める疾病等別表7」と「第2号被保険者が介護保険の申請が可能となる特定疾病」に共通している疾患である．

問 1-8

末期の悪性腫瘍患者は，「厚生労働大臣が定める状態等別表7」に該当する．

問 1-9

胃ろうを使用している状態にある者は，「厚生労働大臣が定める状態等別表第8」に該当する．

問 1-10

変形性膝関節症は，片側の変形でも「第2号被保険者が介護保険の給付対象となる特定疾病」に該当する．

▶解答&解説はp.143

13

問 1-11

人工呼吸器を使用している状態にある者は,「厚生労働大臣が定める疾病等別表 7」 にも「厚生労働大臣が定める状態等別表 8」にも該当する.

問 1-12

筋萎縮性側索硬化症は,「厚生労働大臣が定める疾病等別表第 7」にも「第 2 号被保険者が介護保険の給付対象となる特定疾病」にも共通している疾患である.

問 1-13

多発性硬化症は,「第 2 号被保険者が介護保険の給付対象となる特定疾病」に含まれる.

問 1-14

障害者総合支援法の障害支援区分は,「非該当」から区分 1・2・3・4・5・6 の 7 段階に分けられる.

問 1-15

障害者手帳は, 身体障害者手帳, 精神障害者保健福祉手帳の 2 種類である.

問 1-16

脳血管疾患は,「第 2 号被保険者が介護保険の給付対象となる疾病」に含まれる.

問 1-17

60 歳の脊柱管狭窄症の患者の場合, 要介護認定を受ければ介護保険サービスが利用できる.

問 1-18

40 歳未満でも, 末期の悪性腫瘍患者の場合, 要介護認定を受ければ, 介護保険サービスが利用できる.

問 1-19

支援困難事例は, 居宅介護支援事業所に相談すると良い.

問 1-20

要支援 1・2 に認定された人は, 地域包括支援センターが介護予防サービス計画を作成する.

▶解答&解説はp.143

問 1-21

介護保険の要介護認定の申請ができるのは, 65歳以上の第1号被保険者のみである.

問 1-22

真皮を超える褥瘡の状態にある者は, 「厚生労働大臣が定める状態等別表8」に該当する.

問 1-23

第1号被保険者と特定疾病を有する第2号被保険者で要介護認定を受けた者であれば, 介護保険サービスを利用できる.

問 1-24

気管カニューレを使用している状態にある者は, 「厚生労働大臣が定める状態等別表第8」に該当しない.

問 1-25

50歳で若年性の認知症の患者は, 介護保険の申請ができる.

問 1-26

障害者手帳を取得すると, 申請により各種手当の支給や医療費の助成などが受けられる.

問 1-27

障害者総合支援法によるサービスには, 重度訪問介護, 短期入所, 補装具の給付などが含まれる.

問 1-28

介護保険の第2号被保険者は, 40歳以上75歳未満の者である.

問 1-29

50歳で脳血管疾患の患者は, 介護保険の申請ができる.

問 1-30

要介護2の利用者で, パーキンソン病ホーエン・ヤール重症度分類Ⅲ度以上かつ生活機能障害程度がⅡまたはⅢ度の者は, 医療保険の訪問看護を利用する.

▶解答&解説はp.143

ちょっと **Break!** 情報の共有と方針の統一

　スタッフ間で共有すべき患者情報といえば，患者氏名，年齢，病歴，治療内容と経過，患者の嗜好といったところでしょうか．病院であれば，この情報で患者マネジメントは可能かもしれませんが，在宅医療となるとこれだけでは患者マネジメントはできません．

　在宅患者の場合は，まず「その患者が利用できる在宅サービスの種類」と「利用できる回数」がわからなければ，マネジメントができません．訪問診療が週3回しか入れないのか，4回以上も可能なのか，介護保険が利用できるのかどうかなど，利用できるサービスによってマネジメントが違ってくるからです．しかし，患者ごとに利用できるサービスと回数を事前にリストアップしてカンファレンスに参加することは，簡単にできるものではありません．

　しかし，在宅医療の制度について少し知識を持つと，「カンファレンスの5つの呪文（第2章，p.19参照）」だけで，患者が利用できる在宅サービスを知ることができます．たんぽぽクリニックでは，朝のミーティングで新規患者の紹介をする際には，患者氏名の後，必ず「5つの呪文」を記入するようにルール化しています．また，患者情報は院内情報共有のためのICTツール内の掲示板や電子カルテに掲載すること，掲示板上の情報はミーティング開始前に各自で読み込むこともルール化．これにより，ミーティングに参加していなくても情報が確認できますし，ミーティング時には情報の共有に時間を割くのではなく，課題や方針についての話し合いができます．

　本誌には5つの呪文をコンパクトにまとめた特別付録を付けています．切り取って携行し，臨床でお役立てください．

巻末 特別付録

ぜひとも
ご活用ください！

第 **2** 章

患者が利用可能な在宅サービスがわかる「5つの呪文」

第2章 患者が利用可能な在宅サービスがわかる「5つの呪文」

ここで学ぶこと
▶ 患者の5つの情報から，利用できるサービスを読み解く方法
▶ 「5つの呪文」を使って行う患者マネジメントの方法

そのサービス，本当に患者は利用できる？

　突然ですが，質問です．患者にとってより良いケアプランを立てられるのは，次のA，Bのどちらのカンファレンスだと思いますか？

A

　カンファレンスに参加する専門職全員が在宅医療の制度について熟知し，当事者である患者がどのような在宅サービスをどれくらい利用できるのかを認識して，今後の支援のあり方を話し合っている．

B

　カンファレンスに参加する専門職が在宅サービスを十分知らず，当事者である患者がどの程度の在宅サービスを利用できるのかを知らないまま，今後の支援のあり方を話し合っている．

　極端な選択肢になってしまいましたが，この本を読んでいる方なら，Aを選んでくれることと信じています．Aを選んでください．

　とはいえ，実際に行われている多職種カンファレンスはAとBの中間ではないでしょうか．ケアマネジャーのいる患者・利用者なら，介護保険で利用可能なサービスについて提案があると思います．しかし，それも介護保険の枠内のこと（もちろん，医療保険や障害福祉制度に精通した優秀なケアマネジャーもいます）．制度を知り，サービスを提案できる人が限られているなかで，カンファレンスが十分に機能するとは思えません．

　カンファレンスをするならば，選択肢Aのよう

に参加する専門職全員が在宅医療の制度を熟知した状態で，医療保険・介護保険のサービス，障害福祉制度など，その患者が利用できる制度をフル活用して，今後の支援のあり方を話し合いたいものです．

> ケアマネジャー以外の専門職もケアプランや患者マネジメントを考えられるようになりたいものだね．

その患者が利用できる在宅サービスは，実はたった5つの情報から読み解くことができます．その5つとは ① 年齢 ，② 主病名 ，③ ADL ，④ 医療処置 ，⑤ 居住場所 です．この5項目だけで，患者が利用できる在宅サービスが網羅できるため，魔法のようなこの5項目を「5つの呪文」と呼んでいます．

どれほど効き目のある「呪文」なのか，ゆうのもり子さんを例に具体的にみてみましょう．

ゆうのもり子さん（44歳）は，卵巣がんで地域のがん拠点病院で入院治療を受けていました．しかし，治療を続けても回復の見込みがないことと，もり子さんが自宅に帰りたいと強く希望したので，退院して自宅で療養することになりました．

もり子さんは，会社員の夫と高校3年生の長女と中学2年生の長男との4人暮らし．市内には実父母（ともに70代）がいます．自宅では平日は実母が，週末は夫が介護をする予定ですが，家族は自宅で介護ができるのか不安を感じています．

もり子さんと家族が安心して自宅で過ごせるためにどのような患者マネジメントを行うか，彼女が使える在宅サービスを「5つの呪文」を使って読み解いていきましょう．

「患者マネジメント」とは，治療方法や予後告知，家族サポートを含めた，「患者の在宅療養生活を支えるための医療・介護の支援のマネジメント」と理解してください．

ゆうのもり子さんの5つの呪文

呪文をこう読み解く！

① 年齢　44歳

40歳以上は介護保険の第2号被保険者に該当
70歳未満なので，健康保険の自己負担は3割．

第2号被保険者が介護保険の給付対象となる特定疾病に該当すれば，要介護認定の申請が可能．介護認定が受けられれば，介護保険のサービスが利用できる．
70歳未満だから，健康保険の負担割合は3割になる．経済的な負担が少なくなるような工夫も必要．

② 主病名　卵巣がん末期

第2号被保険者が介護保険の給付対象となる特定疾病と厚生労働大臣が定める疾病等別表第7に該当．

ゆうのもり子さんは，介護保険を申請できる．
週4回以上 訪問診療に行くことができるね．
訪問看護は医療保険になるけど，週4回以上の訪問も可能だし，1日に複数回の利用も可能だ．

③ ADL　日常生活に介助が必要

意識はしっかりしているが，治療の副作用による痺れや浮腫がひどく，日常動作に介助が必要．

介護が必要な状態なので，要介護認定の申請をしよう．身体障害者手帳や重度心身障害者医療費助成制度の対象となる可能性が高い．取得の有無を確認し，未申請であれば申請を．すでに取得しているのであれば，障害者福祉制度利用も考えられる．一人での通院は困難なので在宅医療は適用．

④ 医療処置　尿バルーン留置

厚生労働大臣が定める状態等別表第8に該当．

週に1回90分以上の訪問看護ができるから，介護する家族がゆっくり外出して気分転換ができるね．

⑤ 居住場所　自宅

介護認定が出れば，短期入所生活介護を利用するかも．

自宅なら，訪問診療も訪問看護も利用できる．末期の悪性腫瘍患者が短期入所生活介護を利用する場合，訪問看護の利用が可能だったり，訪問診療の利用開始後30日までという制限もなくなるから，安心して利用してもらえるね．

■■■ **ゆうのもり子さん**　のケアプランの考え方

● 退院後，自宅での療養生活が落ち着くまでは毎日，訪問診療と訪問看護を行う．

● 在宅がん医療総合診療料[注1]を算定したほうが患者負担が少ない場合は，そちらを提案する．重度心身障害者医療費助成制度の対象となるようであれば申請し，助成を受けることも検討する．

● 介護を不安に感じている家族には，訪問看護師が介護方法を指導し，患者だけでなく，家族の気持ちにも寄り添うようにしよう．

● 週に1度は長時間訪問看護サービスを利用して，高齢の実母の介護負担を軽減しよう．

● 介護保険サービスを利用して，療養ベッドなどの必要な福祉用具を揃える．もり子さんの場合，短期入所生活介護を利用中も，訪問診療や往診，訪問看護を受けられるので安心して利用してほしい．うまく利用することで，家族の介護ストレス解消やもり子さんの気分転換にもつながり，安定した在宅療養になる．

● 訪問看護が医療保険から行われ，介護保険の利用限度枠に余裕ができるため，訪問入浴サービスの利用も勧めればお風呂好きなもり子さんが喜ぶと思うので勧めてみよう．

● もり子さんの趣味のハーバリウムを通してやりたいことが支援できるよう，2ヵ所目の訪問看護ステーションには，作業療法士が在籍しているところにも入ってもらい，リハビリの一環としてハーバリウムを楽しんでもらおう．

（注1）在宅がん医療総合診療料
自宅または医師や看護師の配置義務のない施設の入居者で療養する末期がん患者に対しての診療報酬で，訪問診療や往診，医療処置や検査，訪問看護などの費用が出来高ではなく1週間ごとの包括費用として請求される．算定できるのは在宅療養支援診療所と在宅療養支援病院のみ（p.139参照）．

在宅医療が受けられるのは，どのような患者でしょう？

　在宅医療は，誰でも受けられる医療ではありません．次のような患者は対象外です．
・独歩での通院が可能
・在宅医療を行う医療機関から16km以上離れた場所
・医師の配置義務のある施設（例外あり表2-1, p.29参照）

　在宅医療の対象者は，医療機関から16km以内に居住する通院困難な患者に限られますが，通院困難かどうかは医師の判断によります．

　がん患者であっても一人で通院ができるなら在宅医療の適用にはなりませんが，そのような通院可能ながん患者に対して，たんぽぽクリニックでは外来診療で病院と連携しながら患者の健康をサポートしたり，相談を受けたりしています．そして，通院が難しくなってきたと主治医が判断した時点で患者に提案し，在宅医療に切り替えています．外来通院という段階を経ることで在宅医療への移行もスムーズになりますし，何より，状態が安定している段階から患者と関わることで，患者には「自分のことをよく知った医師や看護師が自宅に来る」という安心感を持ってもらうことができます．利用に制限がある在宅医療ですが，それを逆手に取り，いずれ通院困難になると予想される疾病の方には「外来診療でまず関わって信頼関係を築く」という方法もあります．

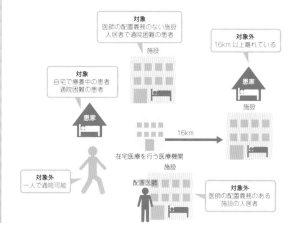

「5つの呪文」の読み解き方を詳しく解説します！

1 ● 年齢

これを確認しよう！
- ☐ 介護保険を利用できるか？
- ☐ 健康保険の窓口負担割合は？

介護保険を利用できるか？

介護保険が利用できるかどうかは，40歳と65歳のラインを引いて考えましょう．

第1号被保険者の場合，疾病名に関係なく介護が必要な状態と考えられれば，そして第2号被保険者の場合，第2号被保険者が介護保険の給付対象となる特定疾病（p.7参照）に該当し，介護が必要な状態であれば要介護認定を申請できます．

認定された要介護度に応じた利用限度額内で介護保険のサービスが利用できます．

65歳以上：介護保険第1号被保険者に該当．

65歳

40歳以上65歳未満：介護保険第2号被保険者に該当．

40歳

40歳未満：介護保険は利用できない．

健康保険の窓口負担割合は？

同様に70歳と75歳のラインを引いて考えましょう．

75歳以上：後期高齢者医療制度の対象になります．所得に応じて負担割合が異なり，現役並みの所得者は3割，一般所得者は2割，または1割です．特定医療費（指定難病）受給者証を交付された場合は，3割負担の人は2割負担になります．

75歳

70歳以上75歳未満：高齢受給者で2割・3割負担の人がいます．特定医療費（指定難病）受給者証を交付された場合は，3割負担の人は2割負担になります．

70歳

70歳未満：公的医療保険は国民健康保険や協会けんぽ，健康保険組合などがありますが，いずれも窓口負担割合は3割，未就学児は2割です．ただし，65歳以上でも一定の障害がある人は後期高齢者医療制度の対象となる場合もあります．特定医療費（指定難病）受給者証を交付された場合は，3割負担の人は2割負担になります．

 患者マネジメントのPoint

40歳未満はどんな疾病，状態であれ，介護保険は利用できません．障害者手帳が取得できるようであれば取得し，障害福祉サービスが利用できるか関係機関と相談してみましょう．

70歳未満の患者は窓口負担が3割のため，経済的な理由で訪問診療の回数が増えることや往診を嫌がる人もいます．高額療養費制度や民間の医療保険でカバーできるか，また，末期がんの患者で訪問看護を利用する場合は「在宅がん医療総合診療料」が算定できないかなど検討してみましょう．

2 ● 主病名

これを確認しよう!

☐ 厚生労働大臣が定める疾病等別表第7（p.11 参照）に該当するか?
☐ 第2号被保険者が介護保険の給付対象となる特定疾病（p.7 参照）か?
☐ 指定難病か?

厚生労働大臣が定める疾病等別表第7に該当するか?

　これに該当すれば，週3日までという訪問診療の利用制限や週3日，1日1回，1ヵ所の訪問看護ステーションのみという医療保険からの訪問看護の利用制限がなくなるため，手厚い医療ケアが可能になります．

第2号被保険者が介護保険の給付対象となる特定疾病か?

　1 ● 年齢 の項目で説明した通りです．

指定難病か?

　341 疾病ある指定難病に該当し，受給者証を交付されている場合は，医療費が2割負担になります（p.10 参照）．指定難病については厚生労働省の HP にて確認できます（https://www.mhlw.go.jp/stf/seisakunitsuite/bunya/0000084783.html）．

厚生労働大臣が定める疾病等別表第7で可能になること（医療保険の訪問看護）

・週4日以上 訪問診療を行える（在宅患者訪問診療料Ⅰの1およびⅡのイが週4日以上算定可（p.38 参照））．
・訪問看護では医療保険を利用し，週4日以上の訪問も可能で，1日に複数回の利用も可能．
・訪問看護では2ヵ所，毎日の訪問が必要であれば3ヵ所の訪問看護ステーションの利用ができる．
・複数で訪問した場合，複数名訪問看護加算が算定できる．
・入院した場合，退院時・外泊時の訪問看護が可能になる．
・グループホームや特定施設では介護保険の訪問看護は利用できないが，これに該当すれば訪問看護が医療保険となり，訪問看護が利用できる．

など

　1月（ひと月）の自己負担上限額が所得等により決められており，受診した複数の医療機関で支払った負担額を合算し上限額まで支払います．

患者マネジメントの **Point**

　厚生労働大臣が定める疾病等別表第7に該当するということは，重症患者であるということです．訪問診療や訪問看護の利用制限が外れるというメリットを活用して，患者や家族が不安なく過ごせるよう訪問プランを立てましょう．介護保険の要介護認定を受けていれば，介護保険の訪問看護を優先して使うことになりますが，厚生労働大臣が定める疾病等別表第7に

該当すれば，医療保険の訪問看護を利用しなければなりません．そのため，グループホームや特定施設に入所している場合でも訪問看護を利用することができます．グループホームや特定施設に入所しているリハビリが必要な施設患者に訪問看護ステーションからの訪問リハビリを受けてもらうことも可能です．

3 ● ADL（日常生活動作）

これを確認しよう！

- ☐ 在宅医療が適応か？
- ☐ 障害者手帳の交付対象か？
- ☐ 重度心身障害者医療費助成制度の対象か？
- ☐ 特別障害者手当が支給されるか？

在宅医療が適応か？

　在宅医療は誰でも受けられるわけではありません．「通院困難である」と主治医が認めた人に限られます．ADL を確認する際には，通院が可能かどうかをまず確認しましょう．

障害者手帳の交付対象か？

　障害者手帳は，医療や日常生活用具・補装具の給付など，各種の福祉制度を利用するために必要なものです．身体障害者手帳，精神障害者保健福祉手帳，療育手帳の 3 種があり，障害や年齢によって交付対象が異なります．交付は都道府県知事，指定都市市長または中核都市市長が行います．
　医療費の助成や交通機関の利用料金の割引，税金の控除，日常生活用具・補装具の給付などが受けられます．

重度心身障害者医療費助成制度の対象か？

　心身に重度の障害がある人に対して，医療費の助成制度があります．都道府県や市町村が実施していて，助成の内容も地域によって異なります．

特別障害者手当が支給されるか？

　身体または精神に重度の障害があり，日常生活で常時特別な介護が必要な 20 歳以上の人に月額 27,980 円（2023 年 4 月より適用）が国から支給される制度です．所得制限があります．

 患者マネジメントのPoint

　ADL は，医療費助成などが受けられるかどうかを判断する大切な項目．在宅療養生活の継続のために医療費などの経済的な負担軽減も，患者マネジメントのポイントです．障害者手帳の交付は障害福祉サービス利用のスタートラインです．交付を受けることで障害福祉サービスの利用が可能になります．
　「公費負担が増え，財政を破綻させる恐れがあるから，身体障害者手帳を患者にできるだけ取得させないようにしている」という医師に時々出会います．社会保障費の増大は確かに大きな社会問題ではありますが，それを個人レベルで解決しようとすることで，患者個人の権利が侵害されてもいいのか？と思ってしまいます．たんぽぽクリニックでは，自治体の定めた基準に則り，身体障害者手帳の取得が可能な障害をもった患者には，公平に取得の案内をし，申請をしてもらっています．手帳の交付の可否は，自治体が決めることであって，医師が決めることではありません．在宅患者は寝たきりの方も多く，当院では患者の 6 割が重度心身障害者医療費助成制度の対象者です．手帳を取得することで自己負担が減額されると，入院ではなく在宅医療を選択する人が増え，それによって入院医療費や社会保障費全体の抑制につながる可能性もあります．
　障害を持つ人に対しては，社会が責任を持って援助していくべきであり，行政が定めた基準に則って公平公正に制度を利用していけばいいと私は考えています．

身体障害者手帳の取得について

在宅医療が適応となるのは，病気や障害のために独歩での通院が困難な患者です．ほとんどの患者は寝たきりの状態や寝たきりに近い状態で，身体に障害を持っているため，たいていの在宅患者は身体障害者手帳の交付対象になります．

身体障害者手帳とは？

・内部疾患を含む身体に障害のある人が身体障害者福祉法に定める障害に該当すると認められた場合に，本人（15歳未満の場合は保護者）の申請に基づき交付されます．

・各種福祉サービスを受けるために必要な証明書です．

・障害の程度によって最重度の1級〜最軽度の7級に分かれますが，7級は障害が1つあるだけでは手帳交付対象にならず，2つ以上重複すれば6級以上の障害と認定され，手帳が交付されます．

身体障害者手帳取得のメリット

・手帳が交付されると医療費などの助成が受けられます．特に重度の障害であれば，重度心身障害者医療費助成制度（重心医療）の対象となり，医療費負担が軽減されます（自治体により異なる）．

・心身障害者福祉手当，特別障害者手当などの各種手当，日常生活用具や補装具の交付，運賃・通行料の割引，税金の控除や減免，公営住宅の入居が有利になるなど住宅面での優遇があります．

取得の際の注意点

・手帳の申請には，指定医療機関による診断書，意見書が必須のため，検査が必要な場合，患者は数千円程度の費用を負担することになります．

・診断書作成には手間がかかるため，理学療法士や作業療法士に身体計測を依頼することもあります．

・脳血管疾患による障害の場合，障害の程度が固定されるまで一定の観察期間が必要なために原則として半年間は身体障害者手帳の申請ができません．

・機能回復訓練により障害が改善される可能性がある場合は，再認定を実施します．

・患者が複数の障害を持つ場合は，それぞれの障害等級に応じた指数を合算して障害等級を判定します（下表参照）．

障害等級は，このように考えよう！

手帳交付となる障害は肢体不自由や視覚障害，聴覚障害など，障害の種別ごとに等級表があり，対象者の状態を当てはめて判断します．ここでは，上肢・下肢に障害等級とその判断を簡略化して紹介します．

上下肢の障害等級判断

	両上肢	両下肢	1上肢	1下肢
1級	機能全廃	機能全廃		
2級	著しい機能障害	著しい機能障害	機能全廃	
3級			著しい機能障害	機能全廃
4級				著しい機能障害

障害等級指数

障害等級	指数	合計指数	認定等級
1級	18	18以上	1級
2級	11	11〜17	2級
3級	7	7〜10	3級
4級	4	4〜6	4級
5級	2	2〜3	5級
6級	1	1	6級
7級	0.5		

患者に2つ以上の障害がある場合，それぞれの障害の指数を合計した数（合計指数）に応じて認定等級が決まります．この「合わせ技」をしっかり理解しておきましょう．

例

左上肢と左下肢が機能全廃の場合

左上肢（1上肢）の機能全廃 → 2級〈11点〉

左下肢（1下肢）の機能全廃 → 3級〈7点〉

11点 + 7点＝ 18点

1級の指数18点になるのでこの場合は1級になります

右上肢と両下肢に著しい障害がある場合

右上肢（1上肢）の著しい障害 → 3級〈7点〉

両下肢の著しい障害 → 2級〈11点〉

7点 +11点＝ 18点

1級の指数18点になるのでこの場合も1級になります

右上肢と右下肢に著しい機能障害がある場合

右上肢（1上肢）の著しい機能障害 → 3級〈7点〉

右下肢（1下肢）の著しい機能障害 → 4級〈4点〉

7点 + 4点＝ 11点

2級の指数11点になるので，この場合は2級になります．

両上肢と両下肢に著しい機能障害がある場合

両上肢の著しい機能障害 → 2級〈11点〉

両下肢の著しい機能障害 → 2級〈11点〉

11点 +11点＝ 22点

1級の指数18点を超えるので，この場合は1級になります．

左上肢に著しい機能障害があり左下肢が機能全廃の場合　7点 +7点＝ 14点

左上肢（1上肢）の著しい機能障害 → 3級〈7点〉

左下肢の機能全廃 → 3級〈7点〉

2級の指数11点を超えるので，この場合は2級になります．

● **4** ● 医療処置

これを確認しよう！
□ 厚生労働大臣が定める状態等別表第8（p.12参照）に該当するか？

　厚生労働大臣が定める疾病等別表第7と同様に，この厚生労働大臣が定める状態等別表第8に該当するというのは，それだけ重度で医療的なケアが必要ということです．そのため，特別な加算があったり，訪問看護の利用が大幅に広がります．「真皮を超える褥瘡ができた」，「点滴が必要になった」といった医療処置の変更で，厚生労働大臣が定める状態等別表第8に該当します．患者が今行っている医療処置が該当していないかどうか，患者の状態が変わったときには特に注意が必要です．

　訪問看護では，右表のことが可能になる上，90分以上の訪問看護をした場合の加算（医療保険：長時間訪問看護・指導加算，介護保険：長時間訪問看護加算）が可能になります．

　15歳未満の超・準超重症児（p.77参照）および15歳未満で厚生労働大臣が定める状態等別表第8に該当すると，90分を超える訪問看護を行った場合，週に3回まで長時間訪問看護加算が算定できます．見逃すことなく，ぜひ患者マネジメントに取り入れください．

厚生労働大臣が定める状態等別表第8で可能になること（医療保険の訪問看護）

・週4回以上 訪問看護を利用できる（※）．
・訪問看護では2ヵ所，毎日の訪問が必要であれば3ヵ所の訪問看護ステーションの利用ができる（※）．
・複数で訪問した場合，複数名訪問看護加算が算定できる．
・入院した場合，退院時・外泊時の訪問看護が可能になる．
・90分を超える訪問看護を実施した場合，加算が算定できる．

※ 介護保険ではケアプランに含まれれば可．

 患者マネジメントのPoint

　厚生労働大臣が定める状態等別表第8に該当すると，医療保険・介護保険の訪問看護の利用が大幅に広がります．
　医療処置が変更になったときは，厚生労働大臣が定める状態等別表第8に該当しないか，常にチェックしよう．
　「15歳未満の超・準超重症児」および「15歳未満で厚生労働大臣が定める状態等別表第8」の組み合わせは見逃さないこと．

● 5 ● 居住場所

患者の居住場所がどこか確認しよう!

- ☐ 自宅，またはサービス付き高齢者向け住宅か？
- ☐ 認知症対応型共同生活介護（グループホーム），または特定施設か？
- ☐ 小規模多機能型居宅介護，または看護小規模多機能型居宅介護か？
- ☐ 特別養護老人ホームか？
- ☐ 短期入所生活介護か？

　在宅医療は，居住形態によって利用が制限されます．訪問診療と往診の「できる」，「できない」の4つの組み合わせがありますので，「患者がどこに住んでいるか？」は非常に重要な情報になります（表2-1，p.29参照）．

訪問診療も往診もできる居住場所

　患者が自宅やサービス付き高齢者住宅，認知症対応型共同生活介護（グループホーム），特定施設で暮らしている場合は，訪問診療も往診も可能です．

訪問診療に制限があるが，往診はできる居住場所

① 小規模多機能型居宅介護・看護小規模多機能型居宅介護

　小規模多機能型居宅介護・看護小規模多機能型居宅介護では，患者が泊まりサービスを利用する日のみ訪問診療や往診の算定が可能ですが，訪問診療に関しては「サービス利用前30日以内に患家で訪問診療等を算定している場合，利用開始後30日以内に限り算定可能（図4-2，p.55参照）」との制限があります．泊まりサービス利用開始前の30日間に

自宅で訪問診療を受けていたら，同じ医療機関の医師に限り，訪問診療を行うことが可能ですが，これも利用開始日から30日以内に限られています．ただし，退院日から宿泊サービスを利用した場合と末期の悪性腫瘍患者には，2つの例外があります（表2-2）．

New ② 特別養護老人ホーム

　特別養護老人ホームには，医師と看護職員の配置が義務付けられています．そのため，配置医師による訪問診療や往診の算定はできません．ただし，2024年の改定で協力医療機関による往診は算定可能となりました．配置医師以外は，末期の悪性腫瘍患者や，患者の死亡日から遡って30日以内であれば訪問診療を算定できます．配置医師でない医師が訪問診療や往診を行うには，患者の傷病が配置医師の専門外のもので，配置医師の求めがある場合，緊急の場合で特別養護老人ホームの求めに応じて行う場合に限られますが，看取りのスキルがある在宅医がこの制度を活用すれば特別養護老人ホームでの看取りも進むと考えられます．

③ 短期入所生活介護

　介護保険サービスには，要介護者が短期的（30日以内）に施設入所ができるサービスがあり，ショートステイと呼ばれています．介護者の介護負担軽減や，一時的に自宅で介護ができなくなった場合などに利用するものです．短期入所生活介護にも医師と看護職員の配置義務があり，配置医師による訪問診療や往診は算定できません．しかし，入所前の30日間に自宅で訪問診療を受けていたら，同じ医療機関の医師に限り，訪問診療を行うことが可能ですが，これも入所日から30日以内に限られています．なお，退院日からサービス利用を開始した場合と末期の悪性腫瘍患者の場合には特例もあります．

表2-2　**2つの例外**

1. 退院日から宿泊サービスを利用した場合
自宅で訪問診療を行っていなくても利用開始後30日以内に限り，訪問診療可能（退院日を除く）．
2. 末期の悪性腫瘍患者の場合
サービス利用前30日以内に患家で訪問診療等を実施している場合，利用開始後の制限はない．

27

訪問診療は不可だが，往診はできる居住場所

① 短期入所療養介護

ショートステイには短期入所療養介護というものもあり，こちらは医療型ショートステイとも呼ばれています．介護療養型医療施設や介護老人保健施設等と併設され，医師，看護師ともに配置されています．日常生活的な介護よりも，医療的ケアが必要な人が利用します．配置医師以外は往診が算定できます．

 患者マネジメントの Point

「どこに住んでいるか？」で患者マネジメントが違ってくるというのは，在宅医療ならではといえるでしょう．退院前カンファレンスなど，患者の今後の暮らしを見据えた話し合いのときは，患者がどこに住むのかという情報を元に，利用できるサービスを見極めましょう．

訪問診療

自宅やグループホームでは，通院困難な患者であれば訪問診療を受けられます．

小規模多機能型居宅介護・看護小規模多機能型居宅介護や短期入所生活介護の場合，サービス利用前30日以内に自宅で訪問診療を受けている患者に限られます．

ただし，入院先から退院日に小規模多機能型居宅介護，看護小規模多機能型居宅介護または，短期入所生活介護を利用した場合は自宅で訪問診療を行っていなくても退院後30日以内に限り，訪問診療は可能．

訪問診療も往診も不可の場所

① デイサービス

デイサービスは，居住場所ではないため訪問診療も往診も算定できません．それでも，患者が具合が悪くなった等の連絡があり，自宅に戻ってもらうことができなくても，必要があれば診療に行きたいものです．

特別養護老人ホームでは，末期の悪性腫瘍患者か，死亡日から遡って30日以内の患者のみ訪問診療を受けることができます．

訪問看護

施設に入所している患者は介護保険の訪問看護は利用できません．

厚生労働大臣が定める疾病等別表第7に該当する患者や特別訪問看護指示期間にある患者の場合は，訪問看護が医療保険になるため，一部の施設では訪問看護を利用することが可能になります．

特別養護老人ホームや短期入所生活介護に入居中の患者の場合では，末期の悪性腫瘍であれば訪問看護（医療保険）を利用できます．

短期入所生活介護の場合は，サービス利用前30日以内に患者の自宅で訪問看護を算定している場合は利用可能．

5章の訪問看護早わかりチャート（p.86参照），または表2-1を参照．

デイサービスでは，往診料も訪問診療料も算定できません！

短期入所生活介護は特別養護老人ホーム等，

短期入所療養介護は介護老人保健施設等です．

表 2-1　在宅医療を受けられる場所

	往診料	在宅患者訪問診療料	在宅がん医療総合診療料	在宅患者訪問看護・指導料，訪問看護療養費（医療保険の訪問看護）（※8）
自宅，サービス付き高齢者住宅（特定施設以外）有料老人ホーム（特定施設以外）	○	○	○	○
サービス付き高齢者住宅（特定施設）有料老人ホーム（特定施設）	○	○	×	○（※1）
認知症対応型共同生活介護（グループホーム）	○	○	○	○（※1）
小規模多機能型居宅介護（宿泊日）（＊2）	○	○（※3）	○（※3）	○（※4, 5）
看護小規模多機能型居宅介護（宿泊日）（＊2）	○	○（※3）	○（※3）	○（※4, 5）
特別養護老人ホーム	○（配置医師を除く）	○（※6）	×	○（末期悪性腫瘍の患者のみ）
短期入所生活介護（ショートステイ）	○（配置医師を除く）	○（※3）（配置医師を除く）	×	○（※7）（末期悪性腫瘍の患者のみ）
短期入所療養介護（ショートステイ）	○（配置医師を除く）	×	×	×
デイサービス	×	×	×	×
New 障害者支援施設（生活介護を行う施設に限る）	○（配置医師を除く）	○ 末期の悪性腫瘍患者のみ	○	×

※ 1　「厚生労働大臣が定める疾病等別表第 7」に該当するか，急性増悪などで一時的に頻回の訪問看護が必要な患者に限る．

※ 2　小規模多機能型居宅介護，看護小規模多機能型居宅介護は，通所日はデイサービス先と同じで在宅患者訪問診療料も往診料も算定できない．算定は，宿泊日が前提となる．

※ 3　サービス利用前 30 日以内に訪問診療料，在総管，施設総管，在宅がん医療総合診療料を算定した医療機関の医師に限り，サービス利用開始後 30 日まで（末期の悪性腫瘍患者を除く）算定可能．退院日からサービスの利用を開始した患者については，サービス利用前の訪問診療料等の算定に関わらず，退院日を除きサービス利用開始後 30 日まで（末期の悪性腫瘍患者を除く）算定できる．

※ 4　「厚生労働大臣が定める疾病等別表第 7」および急性増悪などで一時的に頻回の訪問看護が必要な患者に限る．宿泊サービス利用前 30 日以内に在宅患者訪問看護・指導料，訪問看護療養費を算定した医療機関，訪問看護ステーションの看護師等に限り，宿泊サービス利用開始後 30 日まで（末期の悪性腫瘍患者を除く）算定可能．

※ 5　宿泊サービス利用日の日中に実施した訪問看護については，在宅患者訪問看護・指導料または訪問看護療養費を算定できない．

※ 6　死亡日から遡って 30 日以内の患者，末期の悪性腫瘍患者に限る．

※ 7　末期がん患者でサービス利用前 30 日以内に在宅患者訪問看護・指導料または訪問看護療養費を算定した医療機関，訪問看護ステーションの看護師等に限り算定可能．

※ 8　在宅患者訪問看護・指導料は，医療機関が訪問看護を行った際に算定する報酬，訪問看護療養費は訪問看護ステーションが算定する報酬．

章 末 問 題

▶答えは◯か✕で答えてください

問 2-1

「5つの呪文」の5つの項目は，①年齢，②性別，③主病名，④ADL，⑤居住場所である．

問 2-2

指定難病に該当し，受給証を交付されると医療費が1割負担になる．

問 2-3

在宅医療の対象となるのは，「通院困難な状態である」と主治医が判断した場合である．

問 2-4

年齢が30歳代で末期の悪性腫瘍患者の場合は，通院可能であっても在宅医療の対象となる．

問 2-5

気管切開している寝たきり状態の小児患者は，在宅医療の対象となる．

問 2-6

在宅医療を受けている妻を自宅で常時介護している夫も，在宅医療の対象となる．

問 2-7

特別養護老人ホームの患者は，末期の悪性腫瘍患者に限り，在宅医療の対象となる．

問 2-8

短期入所療養介護を利用している場合，配置医師以外であれば訪問診療料が算定できる．

問 2-9

短期入所生活介護の利用中は，施設の配置医師以外であれば往診料を算定できる．

問 2-10

デイサービスでは，在宅患者訪問診療料は算定できないが，往診料は算定できる．

問 2-11

短期入所生活介護や短期入所療養介護は，配置医師以外であれば往診料の算定は可能であるが，訪問診療料の算定はできない．

▶解答&解説はp.143, 144

問 2-12

特定施設の通院困難な患者へは，訪問診療料も往診料も算定できる．

問 2-13

末期の悪性腫瘍患者が退院日から短期入所生活介護を利用した場合，サービス利用前 30 日以内に訪問診療料を算定していなくても退院日を除き訪問診療料の算定が認められる．

問 2-14

認知症対応型共同生活介護（グループホーム）では，通院困難な患者であれば訪問診療を受けることができる．

問 2-15

短期入所療養介護を利用中は，訪問診療も訪問看護も一切算定できない．

問 2-16

短期入所療養介護では，往診料も訪問診療料も算定可能である．

問 2-17

小規模多機能型居宅介護の通所日は，訪問診療料も往診料も算定できない．

問 2-18

小規模多機能型居宅介護では，退院日から宿泊サービスを利用した場合，自宅で訪問診療を行っていなくても，退院日から訪問診療が可能となった．

問 2-19

「厚生労働大臣が定める疾病等別表第 7」や「厚生労働大臣が定める状態等別表第 8」に該当すれば，1 日 2 回以上の訪問看護が利用できる．

問 2-20

特別養護老人ホームに入所する独歩で通院できない者は，訪問診療が可能である．

問 2-21

短期入所療養介護は，配置医師以外であれば往診が可能である．

問 2-22

特定施設以外のサービス付き高齢者住宅で訪問診療を受けられるのは，「厚生労働大臣が定める疾病等別表第 7」と特別訪問看護指示期間の利用者に限られる．

▶解答＆解説はp.143, 144

問 2-23

サービス付き高齢者住宅（特定施設）の入所者は，介護保険の訪問看護は受けられないが，医療保険の訪問看護なら受けられる場合がある．

問 2-24

短期入所療養介護の入所者が「厚生労働大臣が定める疾病等別表第7」に該当する場合，医療保険の訪問看護が受けられる．

問 2-25

15歳未満の超・準超重症児および，15歳未満で「厚生労働大臣が定める別表第8」に該当する患者は，90分を超える訪問看護を行った場合，週に4回まで長時間訪問看護が算定できる．

問 2-26

グループホームに入所する患者が「厚生労働大臣が定める状態等別表第8」に該当すると，医療保険の訪問看護が利用できる．

問 2-27

身体障害者手帳の申請には，指定医療機関による診断書，意見書が必要である．

問 2-28

複数の障害を持つ患者の場合，それぞれの障害等級に応じた指数を合算して障害等級を判定する．

問 2-29

右上肢の機能全廃（2級）と右下肢が機能全廃（3級）の場合，身体障害者手帳2級となる．

問 2-30

障害者支援施設では，末期の悪性腫瘍患者では，在宅患者訪問診療料が算定できる．

問 2-31

障害者支援施設では，末期の悪性腫瘍患者では，在宅がん医療総合診療料が算定できる．

▶解答&解説はp.143, 144

第 **3** 章

訪問診療と往診の
違いを
マスターしよう

訪問診療と往診の違いをマスターしよう

ここで学ぶこと

▶ 訪問診療と往診の違いを理解しよう

▶ 報酬算定に影響する「同一患家」,「同一建物居住者」について

訪問診療と往診は違うって知っていましたか?

医者が患者宅まで出向いて診療することを以前から「往診」といっていました.そのこともあって,在宅医療を受けている人のなかには「○○クリニックに往診に来てもらっている」といういい方をする人がいます.でも,その「往診」の使い方は間違っているかもしれません.

たとえばよくあるのが,施設からクリニックに「今日,往診に来てもらったAさんのことで……」という電話がかかってきたとき.クリニックの職員は往診という言葉に反応し,「今日,Aさんに何か

あったのでしょうか?」と思わずたずねると,「いえ,定期の訪問です」といわれて,クリニック職員がホッとするというシーン.この二者間では,「往診」という用語の意味が違っているのです.

在宅医療には,訪問日をあらかじめ決めて定期的に訪問する訪問診療(診療報酬名:在宅患者訪問診療料)と,予定外で訪問する往診(診療報酬名:往診料)の2つの診療形態があるのです.ここでは,それぞれの診療報酬算定要件をみて,違いを覚えましょう.

訪問診療の初診で算定する診療報酬は,なぜ往診料?

新規患者宅への初回訪問「初診」で算定する診療報酬は,「往診料」と「初診料」です.「往診料」の算定要件には,定期的・計画的な訪問の場合は算定できない.さらには,患家からの往診の求めに対して可及的速やかに対応する」とあるのに,どうして往診料が算定できるのでしょう?

このことは,2018年の診療報酬改定で往診料の定義が明確に規定された際に在宅医療界で議論になりました.初回の訪問は新規患者から依頼を受けた後,可及的速やかに訪問するというのは困

難ですし,在宅患者訪問診療料は,計画的・定期的な診療に対する報酬のため,初回の訪問では算定できません.これでは,往診料も在宅患者訪問診療料も算定できないのではないか?と.

最終的に,厚生労働省より「『可及的速やかに』は,1時間以内といった早い時間ではなく,日単位であっても依頼の詳細に応じて医師が医学的に判断できる」という回答が得られ,初回訪問は往診料を算定することになったという経緯があります.

在宅患者訪問診療料（概略）

計画的な医学管理の下，定期的に患者の家に出向いて診療することです．カレンダーなどで訪問日を患者にあらかじめ伝えているのが，この訪問診療です．

訪問診療は誰でも受けられるものではありません．継続的な診療が必要であるにも関わらず，「独りでの通院が困難な人」や「医師が通院困難と認めた人」であり，なおかつ「訪問診療を行う医療機関から直線距離で16km 以内に居住する人」，「医師の配置義務のない施設に入居している人」という条件の人に認められます．

在宅患者訪問診療料には，「在宅患者訪問診療料

在宅患者訪問診療料の算定要件
・患者または家族などの署名付きの同意書をカルテに添付．
・診療内容の要点をカルテに記載します．
・訪問診療の開始時刻と終了時刻，診療場所についてカルテに記載します．

留意点
・初診日には算定できません．
　→初診日は初診料と往診料で算定します．
・訪問診療には診察のための費用が含まれるため，再診料などは算定できません．
・同一建物居住者（p.44 参照）かどうかで報酬が異なります．
・同一患家の 2 人目以降の診療は，初診または再診料を算定します．

Ⅰの 1」，「在宅患者訪問診療料Ⅰの 2」，「在宅患者訪問診療料Ⅱのイ」，「在宅患者訪問診療Ⅱのロ」があります．それぞれ，算定できる要件が違います（表 3-1，p.38 参照）．

往診料（概略）

患者の状態が急に悪くなったときなどに，患者や家族などから依頼があって患者宅を訪問する診療のことです．

予定外の訪問であることから，「往診」と聞くと「患者の状態が悪くなったのか？」と考えてしまうのもそのせいです．

往診は，往診を行う医療機関から直線距離で16km 以内に居住する人で，医師が往診の必要性を認めれば誰でも受けられます．もし，患家の周囲に

往診料の算定要件
・定期的・計画的な訪問の場合は算定できません．
・患者または家族などが医療機関に電話などで直接往診を求め，医師が医学的に判断してその必要性を認めて可及的速やかに患家に赴き診療を行った場合に算定します．

留意点
・初診料または再診料も併せて算定可能です．
・往診後に患者や家族などが，診療所に単に薬剤を取りに来た場合には外来で再診料は算定できません．
・同一建物居住者（p.44 参照）の考え方はありません．
　→同一患家の 2 人目以降の診療では，初診または再診料を算定します．

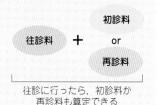

往診に行ったら，初診料か再診料も算定できる

往診を行う医療機関がない場合や専門的な対応ができる医療機関がないなどの理由があれば，16km を超えて往診することもできます．

往診料のカルテ記載のポイント 4 つ
①往診の依頼があったかどうか
②誰から依頼があったか
③どのような理由（症状）で往診が必要だったか
④速やかに往診したかどうか

2018 年改定で往診料の算定基準が定められ，以上のカルテ記載が重要です．

在宅患者訪問診療料Ⅰの1とⅠの2，Ⅱは何が違う？

在宅患者訪問診療料Ⅰの1は，1つの医療機関しか算定できませんが，Ⅰの1を算定している医療機関から依頼を受けた医療機関は訪問診療が可能になり，Ⅰの2を算定することができます．

Ⅰの1は，患者をメインで診ている医療機関が算定しますが，Ⅰの2は専門的な診療（例：精神科等）が必要な場合などに利用されています．

算定のポイント

在宅患者訪問診療料Ⅰの1

継続的な診療の必要がない者や通院が可能な者に対して安易に算定してはいけません．通院可能かどうかは主治医の判断によります．

算定の原則

・週3回まで算定可能
・1日につき1回に限り算定
・1つの医療機関が算定

算定の例外

・厚生労働大臣が定める疾病等別表第7（p.11参照）に該当する患者と，急性増悪期の患者には週3回以上の訪問診療も可能です．
・在宅悪性腫瘍患者共同指導管理料算定の患者には，2ヵ所の医療機関が在宅患者訪問診療料Ⅰの1を算定できます（ひとりの患者に対して2つの医療機関が訪問診療を行えるということです）．

在宅患者訪問診療料Ⅰの2

褥瘡や眼，泌尿器，呼吸器などに複数の疾病を併せ持ち，在宅医だけでは対応ができないような専門的な診療を必要とする患者もいます．その場合は，在宅医から対応可能な医療機関に訪問診療を依頼することができます．その際，依頼された医療機関が算定するのが，この在宅患者訪問診療料Ⅰの2です．

算定の原則

・訪問診療を始めた月を含めて6ヵ月間算定可能
・月1回に限り算定

算定の例外

・厚生労働大臣が定める疾病等別表第7に該当する患者の場合は，6ヵ月を超えても算定できます．
・次の①・②に該当する患者も6ヵ月を超えても算定できます．
①その診療科の医師でなければ診療が困難な場合
②すでに診療した傷病やその関連疾患とは明らかに異なる傷病に対する診療をする場合

在宅患者訪問診療料Ⅰの1とⅠの2の違い

在総管・施設総管・がん医総の算定条件を満たす医療機関

かかりつけ医院（主治医）

在宅患者訪問診療料Ⅰの1
同一建物居住者以外　888点
同一建物居住者　　　213点

褥瘡や眼，鼻，泌尿器，呼吸器など複数の疾病を併せもつ在宅患者に専門的な治療が必要である場合

依頼

他の保険医療機関

在宅患者訪問診療料Ⅰの2
同一建物居住者以外　884点
同一建物居住者　　　187点

6ヵ月を限度に月に1回のみ算定

患者

主治医が行う訪問診療に他の保険医療機関の医師が**同行した場合**は「立会診療」になります！
この場合は，在宅患者訪問診療料Ⅰの2ではなく，往診料を算定することになります．

注意！

在宅患者訪問診療料Ⅱ

有料老人ホームなどに併設された医療機関が，その施設の入居者に訪問診療を行った際に算定します．

同一敷地内や隣接する敷地内に位置する医療機関が算定します．

医療機関と同一敷地内に施設がある場合や，渡り廊下でつながっている場合，また，別法人であっても該当します．

ただし，医療機関の所有する敷地内であっても，幹線道路や河川などのために迂回しなければならない場合は該当しません．

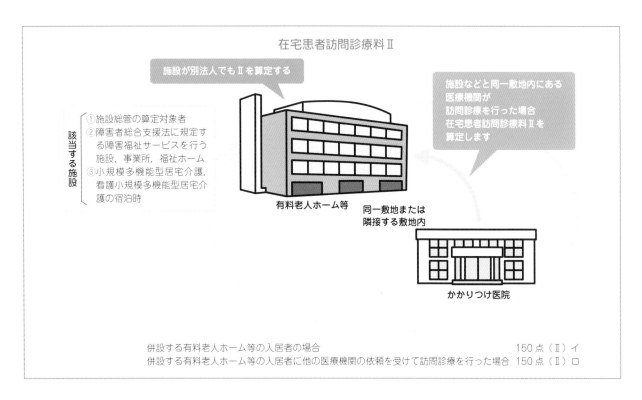

在宅患者訪問診療料Ⅱ

施設が別法人でもⅡを算定する

施設などと同一敷地内にある医療機関が訪問診療を行った場合 在宅患者訪問診療料Ⅱを算定します

該当する施設
①施設総管の算定対象者
②障害者総合支援法に規定する障害福祉サービスを行う施設，事業所，福祉ホーム
③小規模多機能型居宅介護，看護小規模多機能型居宅介護の宿泊時

有料老人ホーム等

同一敷地または隣接する敷地内

かかりつけ医院

併設する有料老人ホーム等の入居者の場合　150点（Ⅱ）イ
併設する有料老人ホーム等の入居者に他の医療機関の依頼を受けて訪問診療を行った場合　150点（Ⅱ）ロ

ポイントのまとめ

在宅患者訪問診療料Ⅰの1
通常の訪問診療の際に在宅主治医が算定．

在宅患者訪問診療料Ⅰの2
在宅主治医以外の医師が主治医の依頼を受けて訪問した場合に算定．

在宅患者訪問診療料Ⅱのイ
老人ホーム等の同一敷地内や隣接する敷地内に位置する医療機関からその老人ホーム等に訪問した場合に算定．

在宅患者訪問診療料Ⅱのロ
他の医療機関からの依頼により，老人ホーム等の同一敷地内や隣接する敷地内に位置する医療機関から，その老人ホーム等に訪問した場合に算定．

表 3-1　在宅患者訪問診療料の診療報酬と算定要件

在宅患者訪問診療料（1 日につき）	在宅患者訪問診療料Ⅰの1		在宅患者訪問診療料Ⅱ	
	同一建物居住者以外の場合	888 点	イ　定期的な訪問診療を行った場合　150 点	
	同一建物居住者の場合	213 点		
	在宅患者訪問診療料Ⅰの2		ロ　他の医療機関の依頼により訪問診療を行った場合　150 点	
	同一建物居住者以外の場合	884 点		
	同一建物居住者の場合	187 点		

【在宅患者訪問診療料Ⅰの1の主な算定要件】
・1 人の患者に対して 1 つの医療機関の医師の指導管理の下に継続的に行われる訪問診療について，1 日に 1 回算定できる.
・週 3 回まで算定可能（例外あり p.36 参照）.
・初診料の算定日には算定できない.
・在宅悪性腫瘍患者共同指導管理料を算定する場合に限り，1 人の患者に 2 つの医療機関が 1 日につき各 1 回限り算定できる.

【在宅患者訪問診療料Ⅰの2の主な算定要件】
・在宅時医学総合管理料，施設入居時等医学総合管理料または在宅がん医療総合診療料の算定要件を満たす他の医療機関の依頼により訪問診療を行った場合，求めがあった日を含む月から 6 ヵ月を限度として月 1 回算定できる.
・厚生労働大臣が定める疾病等別表第 7 の患者については 6 ヵ月を超えて算定できる.

【在宅患者訪問診療料Ⅱの算定要件】
有料老人ホームなどと同一敷地内，または隣接する敷地内にある医療機関が，併設する有料老人ホームなどに入居する患者に訪問診療を行った場合に算定する. 有料老人ホームなどに入居する患者とは，以下のいずれかに該当する患者をいう.
1　施設総管の算定対象とされる患者.
2　障害福祉サービスを行う施設および事業所，福祉ホームに入居する患者.
3　小規模多機能型居宅介護または看護小規模多機能型居宅介護における宿泊サービスを利用中の患者.

初診をスムーズに進めるための事前準備

　　初診は患者だけでなく，医師も不安を感じるものですが，それはお互いをよく知らないために起こること. お互いの不安を軽減するためには，事前準備が大切です. そのため，たんぽぽクリニックでは，初診の 1 週間〜数日前までには患者宅で右記のようなインテーク（初回の面接，説明）を行っています.

　　患者の受け入れを担当する「在宅療養なんでも相談室」の看護師と社会福祉士がペアで患者宅を訪問して在宅医療の費用やシステムについて説明の他，患者の家庭環境や生活歴，必要な衛生材料や患者宅への行き方，駐車場の位置などを確認して，その情報を職員全員に共有しています. また，初診にはインテークで訪問した担当者が同行して，患者と医師の間の橋渡し役も担います.

●説明事項
・在宅医療の費用，当番体制や急変時の対応
・在宅医療では対応できないこと（緊急時に病院のように医師がすぐには駆けつけられない等）

●確認事項
・病状やこれまでの経過，生活歴，家庭環境など
・患者が加入している公的保険（医療・介護），利用可能な医療・介護費用の助成制度など
・患者や家族の不明点，不安に感じる点
・患家への行き方，駐車場の位置
・医療費等の支払い方法，請求書，領収書の送付先（施設入居者は送付先と入居先が異なることが多い）
・ケアマネジャーや薬局，訪問看護などの連携先
・訪問診療の同意書や居宅療養管理指導の契約書は，インテーク時に説明して署名・捺印をもらう

往診料

往診をしたときには，カルテに「誰から依頼があり，どのような理由（症状）で往診の必要を認め，速やかに往診した」という記載が重要です．また，加算の根拠のため，訪問時間を 24 時間表記で記載することや，滞在時間が 60 分を超えた場合には，その理由を明記しておきましょう．

2024 年の改定では，適切な往診の実施を推進するために往診料の算定要件が見直されました．

往診料の加算である「緊急往診加算」，「夜間・休日往診加算」，「深夜往診加算」を算定する場合，算定要件が次の①〜④に該当する患者に往診した場合と「該当しない患者」に往診した場合で分けられています（表 3-2）．

〈算定要件①〜④〉

①往診を行う保険医療機関において，過去 60 日以内に在宅患者訪問診療料等を算定している患者

②往診を行う保険医療機関と連携体制を構築している他の保険医療機関に置いて，過去 60 日以内に在宅患者訪問診療料等を算定している患者

③往診を行う保険医療機関の外来において継続的に診療を受けている患者

④往診を行う保険医療機関と平時からの連携体制を構築している介護保険施設等に入所する患者

表 3-2　往診料と各種加算

	算定要件①〜④のいずれかに該当する患者の場合				算定要件①〜④のいずれにも該当しない患者の場合
	機能強化型の在支診・在支病（単独型・連携型）		機能強化型以外の在支診・在支病	その他の医療機関	
	病床有	病床無			
往診料			720 点		
緊急時往診加算	850 点	750 点	650 点	325 点	325 点
夜間・休日往診加算	1,700 点	1,500 点	1,300 点	650 点	405 点
深夜往診加算	2,700 点	2,500 点	2,300 点	1,300 点	485 点

往診料の基準は 720 点です．各種加算は施設分類によって異なります．

  往診料でも在宅ターミナルケア加算，看取り加算を算定できるようになりました！

在宅ターミナルケア加算も看取り加算も在宅患者訪問診療料でしか算定できない加算でしたが，2024 年の改定で往診料でも加算できるようになりました．算定要件などは p.136, 137 を参照してください．

夜間・休日・深夜の往診加算

　平日の18時から22時，朝の6時から8時の間に往診をした場合，夜間・休日往診加算が算定できます．22時から翌朝の6時までに往診をした場合は深夜往診加算を算定します．

　ただし，これらの時間帯が標榜時間（診療時間帯）である場合は加算を算定できません．

　休日加算は，日曜日，国民の祝日，1月2日・3日，12月29日・30日・31日が該当し，6時から22時までは夜間・休日往診加算を算定し，22時から翌日の6時までは深夜往診加算を算定します．ちなみに1月1日は国民の祝日に当たるため，年末年始は12/29〜1/3の期間が夜間・休日加算の対象です（図3-1）．

図 3-1　往診加算

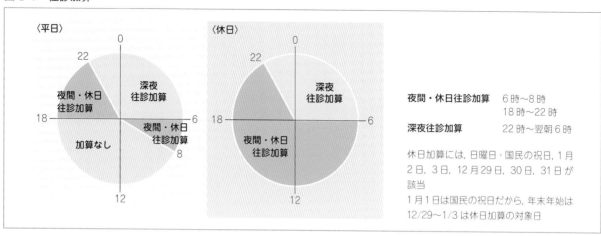

〈平日〉
深夜往診加算
夜間・休日往診加算
加算なし
夜間・休日往診加算

〈休日〉
深夜往診加算
夜間・休日往診加算

夜間・休日往診加算　　6時〜8時
　　　　　　　　　　　18時〜22時
深夜往診加算　　　　　22時〜翌朝6時

休日加算には，日曜日・国民の祝日，1月2日，3日，12月29日，30日，31日が該当

1月1日は国民の祝日だから，年末年始は12/29〜1/3は休日加算の対象日

緊急往診加算

　医療機関の標榜時間（診療時間帯）に患者や看護にあたっている者からの訴えにより，速やかに往診しなければならないと判断し，往診した場合に算定する加算です．具体的には，急性心筋梗塞，脳血管障害，急性腹症などが予想される場合をいい，これ以外にも意識障害や感染症の重症化なども該当すると思われます．15歳未満の小児（小児慢性特定疾病医療支援の対象である場合は20歳未満の者）が低体温，けいれん，意識障害，急性呼吸不全などが予想される場合の往診にも緊急往診加算が算定できます．また，訪問診療を受けていて，医学的に終末期であると考えられる患者も対象です．

　なお，夜間・休日往診加算，深夜往診加算，緊急往診加算は重複して算定はできません．

- **交通費は患家の負担とすることができます.**
  例）交通費として一律 300 円請求するなど.
  ただし，自転車やスクーターなどで訪問する場合は請求できません.
- **医療機関と患家の所在地が 16km を超える場合は算定できません.**
  ただし，患家周囲に往診を行う医療機関がない，専門的な対応ができる医療機関がないなどの場合は算定できます.
- **患家診療時間加算があります. 実際の診療時間が 1 時間を超えた場合，30 分またはその端数を増すごとに算定できます.**

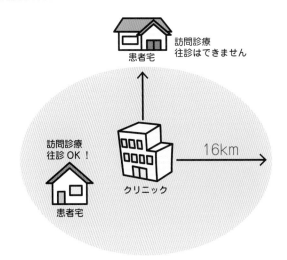

 ## 同じ日に往診と訪問診療に行ったら，どうなる？

同じ日（同一日）に往診と訪問診療に行っても，どちらか一方しか算定できません. というのも，在宅医療には「同一日算定の取り扱いルール」があるのです. 往診料と在宅患者訪問診療料だけでなく，同じ医療機関からの医療保険を利用した訪問リハビリや訪問薬剤指導，特別の関係にある訪問看護ステーションからの医療保険を利用した訪問看護などに対しても同じルールが適用されます.

同一の患者に対して，右記の①～⑦のいずれかを算定した同じ日には，同じ医療機関や特別の関係にある訪問看護ステーションが実施した①から⑦の診療報酬は算定できないのです.

①往診料
②在宅患者訪問診療料（Ⅰ）（Ⅱ）
③在宅患者（同一建物居住者）訪問看護・指導料
④在宅患者訪問リハビリテーション指導管理料
⑤在宅患者訪問薬剤管理指導料
⑥在宅患者訪問栄養食事指導料
⑦精神科訪問看護・指導料

ただし，訪問診療や訪問看護の後，患者の病状の急変などにより往診を行った場合の往診料は算定できます.

「同法人の医療機関と訪問看護ステーションの同日算定について」と，「特別の関係」の具体的例は，5 章で解説しています（p.85 参照）.

> 同じ一人の患者に対して，同じ日に訪問診療と往診を行った場合は，どちらか一方しか算定できません. しかし，訪問診療後に患者の状態が悪くなって往診をした場合は，在宅患者訪問診療料，往診料ともに算定できます.

訪問診療と往診の違い

代表的な在宅患者訪問往診料である訪問診療 I の 1 と往診を表にしてみました．その違いを比べてみましょう．

	訪問診療	往診
定義	通院が困難な者に対して，計画的な医学管理の下に定期的に訪問して診療を行った場合に算定できる 在宅患者訪問診療料は「継続診療の必要のない者や通院可能な者に対して安易に算定してはならない」とされ，独歩で家族・介助者の助けを借りずに通院できる人には算定できません．通院困難かどうかは医師が判断します．	患者または家族等が医療機関に電話等で直接往診を求め，医師が必要性を認めて可及的速やかに患家に赴き診療を行った場合に算定できる 「可及的速やかに」とありますが，往診の日時については依頼の詳細に応じて医師が医学的に判断します．
診療報酬名	在宅患者訪問診療料 I の 1	往診料
1 週の訪問回数	週 3 回まで 厚生労働大臣が定める疾病等別表第 7 に該当する患者の場合，急性憎悪時（1ヵ月に 14 日間）は制限なし	制限なし 極端にいえば，毎日往診も，1 日に 2 回以上行くことも可能
1 日の訪問回数	1 日に 1 回	制限なし
同一月に算定できる医療機関数	在宅患者訪問診療料 I の 1 は 1ヵ所のみ（ただし，在宅悪性腫瘍患者共同指導管理料を算定する場合に限り，患者 1 人につき 2 つの医療機関が 1 日につき各 1 回に限り算定できる）	制限なし
時間外加算	なし	夜間・休日・深夜・緊急の加算がある
患者や家族などの同意	患者や家族の署名付きの同意書（訪問診療を受けることに同意した内容の書類）を作成し，カルテに添付する必要がある	不要
同一建物居住者の概念	あり （同一建物居住者については，p.44 参照）	なし
その他の加算	乳幼児加算，患家診療時間加算，在宅ターミナルケア加算，看取り加算，死亡診断加算	患家診療時間加算，死亡診断加算 **New** 在宅ターミナルケア加算，看取り加算
カルテの記載事項	訪問診療の計画および診療内容の要点，訪問診療を行った日の診療時間（開始時刻と終了時刻），診療場所については必ず記載すること	患者または家族などの求めに応じて往診したこと，往診の理由について記載すること

　在宅医療では，同じ家に住む夫と妻が2人とも患者であったり，同じ施設やマンション内に何人もの患者が居住していることがあります．しかし，同じ世帯に複数の患者がいる場合や同じ建物の施設やマンションに患者が複数いる場合は注意が必要です．

　というのも，同じ日に同じ世帯の2人以上の患者を訪問したり，同じ施設やマンションに住む患者を2人以上訪問すると算定する診療報酬が変わっ

てくるからです．

　同じ世帯に複数の患者がいる場合，それらの患者を「同一患家」といい，施設やマンションなどの集合住宅に2人以上の患者がいる場合，それらの患者を「同一建物居住者」といいます．ここでは，同一患家と同一建物居住者について解説しますので，しっかりマスターしましょう．

同一患家　在宅患者訪問診療料と往診料に影響あり！

同じ1つの家（世帯）に2人以上の患者がいたら注意！

　同一患家とは，同じ家（同じ1つの世帯）に2人以上の患者がいる場合に適用されるルールです．たとえば，同じ家に住む夫と妻，親と子がそろって患者というケースです．この場合，同じ日に夫と妻，親と子それぞれに訪問診療や往診を行っても，在宅患者訪問診療料や往診料は1人分しか算定できません．2人目以降の患者には，再診料（初診の場合は初診料）を算定することになります．「同一患家」のルールは，在宅患者訪問診療料と往診料の両方に適用されます．

松山さん宅
夫：太郎
妻：花子
同一世帯に複数の患者が同居＝同一患家

　松山さんを例にして説明しましょう．松山さんの家では，夫の太郎さんと妻の花子さんの2人ともが同じ医療機関から訪問診療を受けています．このような場合，太郎さんと花子さんは「同一患家」とみなされます．同じ日に太郎さんと花子さん2人ともに訪問診療か往診をした場合，1人は「在宅患者訪問診療料1の1同一建物居住者以外の場合888点」，もしくは「往診料720点」を算定できますが，他の1人には「再診料（初診の場合は初診料）」のみを算定することになります．

×月×日　松山太郎さんと花子さんに**訪問診療**を行った場合の診療報酬算定

花子さん（1人目としてカウント）在宅患者訪問診療料（同一建物居住者以外）を算定．
太郎さん（2人目以降としてカウント）初診料または再診料を算定 ← 2人目以降は在宅患者訪問診療料は算定できない．

△月△日　松山太郎さんと花子さんに**往診**を行った場合の診療報酬算定

花子さん（1人目としてカウント）往診料＋再診料を算定．
太郎さん（2人目以降としてカウント）初診料または再診料のみ算定 ← 2人目以降は往診料を算定できない．

同一建物居住者　在宅患者訪問診療料に影響あり！

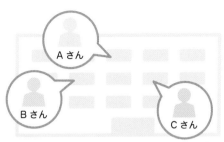

施設やマンションなどの集合住宅に複数の患者がいる場合，同じ日に訪問診療を行うと「同一建物居住者」のルールが適用される

算定するのは，在宅患者訪問診療料Ⅰの1同一建物居住者の場合213点，または在宅患者訪問診療料Ⅰの2 187点

集合住宅に2人以上の患者がいたら注意！

　同じ施設やマンションなどの集合住宅に2人以上の患者がいて，それらの患者に対して同じ日に訪問診療を行った場合には「同一建物居住者」のルールが適用されます．

　同じマンションの建物内にAさん，Bさん，Cさんという3人の患者がいた場合，同じ日にこの3人に訪問診療を行うと，Aさん・Bさん・Cさんは「同一建物居住者」になるのです．3人に対して算定する診療報酬は**在宅患者訪問診療料Ⅰの1同一建物居住者の場合　213点**（または，在宅患者訪問診療料Ⅰの2　187点）になります．しかし，3人とも別々の日に訪問診療を行った場合では，「同一建物居住者」のルールは適用されず，在宅患者訪問診療料Ⅰの1同一建物居住者以外の場合888点（または，在宅患者訪問診療料Ⅰの2　884点）を算定します．

　この「同一建物居住者」のルールが適用されるのは在宅患者訪問診療料だけで，往診料には適用されません．

○月○日　AさんBさんCさんに訪問診療を行った場合

Aさん：在宅患者訪問診療料Ⅰの1
（同一建物居住者の場合213点）を算定．
Bさん：在宅患者訪問診療料Ⅰの1
（同一建物居住者の場合213点）を算定．
Cさん：在宅患者訪問診療料Ⅰの1
（同一建物居住者の場合213点）を算定．

同じ日にAさん・Bさん・Cさんに訪問診療を行うと，3人ともに在宅患者訪問診療料同一建物居住者の場合213点を算定します．

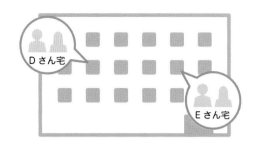

同じマンションに患者が 2 人以上いて，しかもその患者宅にも複数の患者がいた場合，「同一建物居住者」と「同一患家」のルールはどうなるのでしょう？

同じマンション内に D さん宅と E さん宅があり，D さん E さんともにご夫婦が同じ医療機関から訪問診療を受けています．

同じ日に D さん夫婦，E さん夫婦の 4 人に訪問診療を行った場合は同一患家のルールは適用されず，全員に同一建物居住者のルールが適用されます．この場合は，4 人ともに在宅患者訪問診療料 I の 1 同一建物居住者の場合 213 点を算定します．

同じ日に D さん夫婦のみ訪問診療を行った場合は同一患家のルールが適用され，D さん宅の 1 人・E さん宅の 1 人に訪問診療を行った場合は同一建物居住者のルールが適用されます．

□月□日 D さん夫婦，E さん夫婦に訪問診療を行った場合

→同一建物居住者のルールが優先され，全員に同一建物居住者を算定

D さん夫：在宅患者訪問診療料 I の 1
（同一建物居住者の場合 213 点）を算定．

D さん妻：在宅患者訪問診療料 I の 1
（同一建物居住者の場合 213 点）を算定．

E さん夫：在宅患者訪問診療料 I の 1
（同一建物居住者の場合 213 点）を算定．

E さん妻：在宅患者訪問診療料 I の 1
（同一建物居住者の場合 213 点）を算定．

△月△日 D さん夫婦のみ訪問診療を行った場合

→同一患家のルールが適応される

夫（1 人目としてカウント）：在宅患者訪問診療料 I の 1 同一建物居住者以外の場合 888 点を算定．

妻（2 人目以降としてカウント）：初診料または再診料を算定．

×月×日 D さんの夫と E さんの夫に訪問診療を行った場合

→同一建物居住者のルールが適応される

D さん夫：在宅患者訪問診療料 I の 1
（同一建物居住者の場合 213 点）を算定．

E さん夫：在宅患者訪問診療料 I の 1
（同一建物居住者の場合 213 点）を算定．

● ココ注意！ 同一建物居住者に該当しない３つのケース

同一建物居住者であっても，同一建物居住者としてカウントしない３つのケースがあります．

「同一建物居住者」としてカウントしない３つのケース

① 往診を実施した患者

② 末期がんと診断された後に，訪問診療を開始した日から60日以内の患者

訪問診療開始から60日以内の患者

③ 死亡日から遡って30日以内の患者

死亡日から遡って30日以内の患者

先ほどの同じマンションに住むAさんBさんCさんで考えてみましょう．

×月×日　Aさんに往診，BさんCさんに訪問診療をした場合

Aさん：往診料を算定．
Bさん：在宅患者訪問診療料Iの1
（同一建物居住者の場合213点）を算定．
Cさん：在宅患者訪問診療料Iの1
（同一建物居住者の場合213点）を算定．

△月△日　Aさんが１ヵ月前に末期の悪性腫瘍と診断され，３人に訪問診療をした場合

Aさん：在宅患者訪問診療料Iの1
（同一建物居住者以外の場合888点）を算定．
Bさん：在宅患者訪問診療料Iの1
（同一建物居住者の場合213点）を算定．
Cさん：在宅患者訪問診療料Iの1
（同一建物居住者の場合213点）を算定．

□月□日　Aさん，Cさんに訪問診療，Bさんに往診を行ったが，それから10日後にAさんが亡くなった場合

Aさん：在宅患者訪問診療料Iの1
（同一建物居住者以外の場合888点）を算定．
Bさん：往診料を算定
Cさん：在宅患者訪問診療料Iの1
（同一建物居住者以外の場合888点）を算定．

建物の立地や形状にも注意！

集合住宅や施設では，建物の立地や形状によっては「同一建物居住者」に該当しないことがあるので注意して下さい．

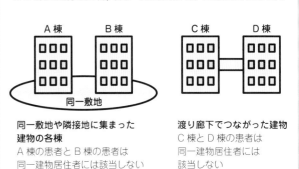

この場合は別の建物，「同一建物居住者」には該当しません

A棟　B棟　　C棟　D棟

同一敷地

同一敷地や隣接地に集まった建物の各棟
A棟の患者とB棟の患者は同一建物居住者には該当しない

渡り廊下でつながった建物
C棟とD棟の患者は同一建物居住者には該当しない

章末問題

▶答えは◯か✕で答えてください

問 3-1

往診料, 在宅患者訪問診療料を算定できる訪問の距離的制限は, 原則として医療機関から 10km 以内である.

問 3-2

在宅患者訪問診療料は, 少なくとも独歩で家族・介助者等の助けを借りずに通院ができる者などは算定できない.

問 3-3

在宅患者訪問診療料は 1 日に 3 回まで算定できる.

問 3-4

在宅患者訪問診療料は, 例外なく患者 1 人につき週 3 回を限度に算定する.

問 3-5

「厚生労働大臣が定める疾病等別表 7」において, 訪問診療は 1 日に複数回認められている

問 3-6

在宅患者訪問診療料について, 週に訪問できる回数に制限がないのは, 急性増悪時の 14 日間だけである.

問 3-7

訪問診療を行う場合, 患者や家族等の署名付きの同意書を作成し, カルテに添付しなければならない.

問 3-8

在宅患者訪問診療料は, 同一の患者について一つの医療機関でしか算定できない.

問 3-9

在宅患者訪問診療料 I の 2 は, 「厚生労働大臣が定める疾病等別表第 7」の患者には 6 ヵ月を超えて算定できる.

問 3-10

訪問診療の後に病状が急変して往診した場合は, 往診料を算定できる.

▶解答&解説はp.144

問 3-11

往診料は，同一月に算定できる医療機関数に制限がない．

問 3-12

往診料は，1日に3回まで算定できる．

問 3-13

同一日に訪問診療と往診を行っても，いずれか一方の点数しか算定できないが，訪問診療後に病状が急変した場合などは往診料を算定できる．

問 3-14

往診料には，夜間・休日往診加算，深夜往診加算はあるが，緊急往診加算はない．

問 3-15

休日加算が該当するのは，土曜日，日曜日，国民の祝日，1月1日，2日，3日，12月31日である．

問 3-16

平日は18時から22時までの往診のみ夜間・休日往診加算が算定できる．

問 3-17

医学的に終末期と考えられる患者でも緊急往診加算を算定できる．

問 3-18

在宅患者訪問診療料Ⅰの2は，原則一連の治療につき3ヵ月以内に限り，月1回まで算定できる．

問 3-19

同一患家では，在宅患者訪問診療料や往診料は1人しか算定できず，2人目以降は初診料または再診料を算定する．

問 3-20

同一患家の2人の患者に往診を行った場合，2人とも往診料が算定できる．

問 3-21

15歳未満の小児慢性特定疾病医療支援の対象である場合は，緊急往診加算が算定可能になった．

▶解答&解説はp.144

問 3-22

在宅患者訪問診療料と往診料には，同一建物居住者と同一建物居住者以外の点数がある．

問 3-23

渡り廊下でつながった建物は，在宅患者訪問診療料Ⅰの1の同一建物居住者に該当する．

問 3-24

同一敷地や隣接地に集まった建物の各棟は別の建物として考え，同一建物居住者には該当しない．

問 3-25

末期の悪性腫瘍と診断した後に訪問診療を開始した日から30日以内の患者は，同一建物居住者とみなさず，在宅患者訪問診療料の「同一建物居住者以外の場合」を算定する．

問 3-26

死亡日から遡って60日以内の患者は，同一建物居住者としてカウントしない．

問 3-27

同一患家で2人以上の患者を診療した場合は，在宅患者訪問診療料の「同一建物居住者の場合」を算定する．

問 3-28

同一建物に居住する複数の患者を訪問診療した場合，原則として「同一建物居住者の場合」の訪問診療料を算定する．

問 3-29

同一建物居住者であっても，往診を実施した患者は，同一建物居住者としてカウントしない．

問 3-30

有料老人ホーム等に併設する医療機関が，当該施設への訪問診療をする場合の訪問診療の点数には，患者が同一建物居住者かどうかによる区別はない．

問 3-31

在宅ターミナルケア加算と看取り加算は，訪問診療料の加算なので，往診料では算定できない．

▶解答&解説はp.144

ちょっとBreak!　なぜ，「自宅での看取り」が普及しないのか？

　私が，在宅医療専門のクリニックを開業してから20年以上経ちました．20年の間に市内にも同様のクリニックが複数でき，全国でも増えました．また，介護保険や医療保険など，国は制度の面でも在宅医療を後押ししています．それにも関わらず，病院で亡くなる人の割合は相変わらず7割と高いままです．20年前も8割でしたが，今もそんなに変わらないのです．

　国民も希望し，在宅医療を行うクリニックも増え，国の制度も後押ししているにも関わらず，なぜ，在宅医療や自宅での看取りは広がらないのでしょうか？その理由を私なりに考えてみました．

　1つ目は，病院の医療従事者が，在宅医療や自宅での看取りについて知らないことがあげられます．病院の医師や看護師などの医療従事者は，どのように在宅医療で診ていけるのか，自宅での看取りがどのようなものなのかをイメージできないのです．そのため，患者や家族が家で死にたいと希望しても，退院して自宅に戻ることができないことが多くあるのだと思います．

　たんぽぽクリニックでは，この問題を解決するために入院病床「たんぽぽのおうち」を開設しました．すると在宅医療専門の時には紹介されなかったような，重度の患者が病院から次々と紹介されるようになったのです．病院の医療従事者は，在宅療養のイメージはできなくても，「転院」ならイメージができるのでしょう．

　そこで，当院の病床に転院してもらってから，私たちで在宅療養への移行支援を行うようにしました．在宅療養に移行するために最も大切なのは，亡くなるまで治療し続けるのではなく，「いつかは死ぬ」ということに向き合うこと．どこでどのような最期を迎えたいのかを患者さんとご家族，医療や介護の専門職が一緒になって話し合うのです．患者さん自身とご家族が死に向き合うことができたならば，どのような状態であっても家に帰ることができると思っています．

　2つ目は，「死に向き合えないこと」が引き起こしている問題です．患者さん本人に十分な告知がされていないのです．「あと生きられて半年かと思います」といったような予後告知は家族だけにされ，患者さんには「かわいそうだから」と告知されません．患者自身が自分の命について知らされず，自分の知らないところで治療やケアの方針が決められていくのです．患者さんに告知をしないのは，医師自身が患者の死に向き合えていないからだと思います．しかし，医師が患者の死に向き合わなければ，患者さんも家族も死に向き合えるはずがありません．

　医師が患者の死に向き合えないのは，医学教育や医師の生涯教育でも教えられていないからだと思います．日本の医療は「病気を治すこと」を目指して発展してきました．そのために「死は医療の敗北」と考えてしまうのです．しかし，超高齢社会を経て多死社会になろうとする現代，亡くなる方の大多数が高齢者で，加齢や老衰のために亡くなる時代となっても，亡くなるまで治し続ける医療が求められるのでしょうか？

　その象徴ともいえるのが，老衰や亡くなる前に食べられなくなったという理由で行われる点滴や人工栄養です．「死に向かいつつあるから食べられなくなっている，だから自然のままにみていきましょう」とはならず，「食べられないのであれば，何とかして他の方法で水分や栄養を取らなければならない」と考えてしまうのです．

　亡くなる前に点滴や人工栄養をしなければ，浮腫も出ず，吸引も必要ありません．枯れるように穏やかに過ごし，旅立つことができます．しかし，1分1秒でも長く生きて，そばにいてほしいと願う家族と，「患者の死は敗北」と考えてしまう医療者側の思いがそれを阻んでいるとしたら……．医師が患者の死に向き合い，患者さんやご家族が「死」に向き合えるように支援をすると同時に，国民一人一人が「死」や「看取り」の意識を変えていくことで，これからの日本人の生き方や逝き方が変わっていくのだと思います．

死に向き合うとどんな状態でも家に帰ることができます．

第**4**章

在宅患者を守るために
医療機関が算定する管理料
～在宅時医学総合管理料と
施設入居時等医学総合管理料ほか～

第4章 在宅患者を守るために医療機関が算定する管理料
～在宅時医学総合管理料と施設入居時等医学総合管理料ほか～

ここで学ぶこと

▶ 在宅時医学総合管理料・施設入居時等医学総合管理料の特徴

▶ 算定する医療機関のメリットと患者のメリット

▶ 「単一建物居住者」による区分と「訪問頻度と状態」による区分

在宅時医学総合管理料と施設入居時等医学総合管理料とは？

在宅時医学総合管理料（以下，在総管）と施設入居時等医学総合管理料（以下，施設総管）は，診療報酬が高いこともあり，在宅医療を行うクリニックの主たる診療報酬といえます．在総管と施設総管を算定する患者が増えると医療機関は，収入が増えて経営の安定につながり，スタッフを確保できたり，24時間対応できるシステムの構築ができるなど，継続した質の高い在宅医療の提供が可能になります．

その反面，患者の経済的な負担が増えることも事実です．ただ，算定する医療機関には施設基準があり，在宅医療の質が担保され，さらに管理料に包括

されている費用があるので，医療材料などの費用を別に負担をしなくてもよいというメリットが患者側にもあります．

在総管と施設総管は，通院が困難な患者に対して，本人の同意を得て計画的な医学管理の下に定期的な訪問診療を行う場合に月1回算定できる診療報酬です．在宅患者訪問診療料を算定している患者には算定できますが，往診料のみの患者には算定できません（図4-1）．また，在総管，施設総管のどちらを算定するかは，患者の居住場所によって決まります．

図4-1 **在総管と施設総管の算定の注意点**

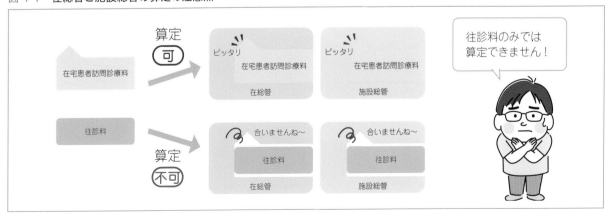

在総管・施設総管の算定ルール

この管理料は，その患者を主として診療している医師が所属する１つの医療機関が算定します．また，患者１人１人に総合的な在宅療養計画を作成して，その内容を患者，家族および看護に当たる人などに対して説明すること，そして，在宅療養計画と説明の要点などをカルテに記載する必要があります．さらに，患者が診療科の違う他の医療機関を受診する場合には，診療の状況を示す文書を相手先の医療機関に交付するなど，十分な連携を図るように

努めなければなりません．この他にも，算定ルールがありますが，主なものは左記のとおりです．

- ・１人の患者につき，１つの医療機関しか算定できない．
- ・在宅がん医療総合診療料を算定した月には算定できない．
- ・在宅寝たきり患者処置指導管理料を除く在宅療養指導管理料は算定できる．
- ・月１回の訪問診療でも算定できるが，往診のみでは算定できない．

末期の悪性腫瘍患者の場合の，ケアマネジャーへの情報提供

末期の悪性腫瘍患者に在総管・施設総管を算定する場合は，その患者のケアマネジャーに対して，患者の予後や今後想定される変化に合わせて必要になるサービスなどについて情報提供することが，算定要件になっています．末期の悪性腫瘍患者は急激に状態が変化することがあり，福祉用具や介護サービスの導入が後手になってしまうことを防ぐ目的があります．主治医とケアマネジャーが連携して，患者に必要となるサービスを早めに準備しておくことで，患者が安心して自宅で療養できるのです．

算定する医療機関に求められる基準

在総管と施設総管を算定するには施設基準をクリアしなければなりません．在宅医療を担当する常勤医師や，ケアマネジャーや地域の保健医療サービス，福祉サービスと連携調整を担当する職員などの人的

配置，継続的に訪問診療が行える体制を確保することや，市町村や他の医療機関，福祉関係機関との連携調整，地域医師会との緊急時の協力体制などの体制づくりが求められています．

【告示】厚労省告示第59号，2024年3月5日改正

- （1）当該医療機関内に在宅医療の調整担当者が１人以上配置されていること．
- （2）患者に対して医療を提供できる体制が継続的に確保されていること．

【通知】保医発0305第6号，2024年3月5日

- （1）次のいずれも満たすこと．
- ア　介護支援専門員，社会福祉士等の保健医療サービスおよび福祉サービスとの連携調整を担当する者を配置していること．
- イ　在宅医療を担当する常勤医師が勤務し，継続的に訪問診療等を行うことができる体制を確保していること．
- （2）他の保健医療サービスおよび福祉サービスとの連携調整に努めるとともに，当該医療機関は，市町村，在宅介護支援センターなどに対する情報提供にも併せて努めること．
- （3）地域医師会などの協力・調整などの下，緊急時などの協力体制を整えることが望ましいこと．

費用に含まれているもの

在宅医療では医療処置に必要な物品は，ほとんど在総管・施設総管，または在宅療養指導管理料などの診療報酬に含まれています（特定保険医療材料等として，別に算定できる物品もあります）．在宅医療の治療や処置で必要な物品は，医療機関が費用を負担して患者に提供しなければなりません（たとえばＡのような物品）．ただし，患者や家族が要望した物品について，医師が不必要，過剰と判断するような物品の場合は，患者側に直接購入してもらうほうが望ましいと思われます．Ｂのような物品などは，患者に負担していただけます．

Ａ 療養の給付と直接関係ないサービス等とはいえないもの（在宅医療における主なもの）

・衛生材料代（ガーゼ代，絆創膏代など）
・オムツ交換や吸引などの処置時に使用する手袋代
・ウロバック代
・骨折や捻挫の際に使用するサポーターや三角巾
・医療機関が提供する在宅医療で使用する衛生材料等
・保険適用となっていない治療方法（先進医療を除く）
・在宅療養者の電話診療，医療相談
・食事のとろみ剤やフレーバーの費用

Ｂ 療養の給付と直接関係ないサービス等（在宅医療における主なもの）

・おむつ代，尿とりパッド代
・証明書代
・在宅医療に関わる交通費
・薬剤の容器代
・インフルエンザなどの予防接種
・他院から借りたフィルムの返却時の郵送代
・診療録の開示手数料
・薬局における患家への調剤した医薬品の持参料および郵送代
・衛生材料または保険医療材料の持参料および郵送代
・プラスチック製袋の費用
・画像・動画情報の提供にかかる費用
・公的な手続きなどの代行にかかる費用
・情報通信機器に要する費用

在総管・施設総管に包括される診療報酬項目

医学管理等
・特定疾患療養管理料
・小児特定疾患カウンセリング料
・小児科療養指導料
・てんかん指導料
・難病外来指導管理料
・皮膚科特定疾患指導管理料
・小児悪性腫瘍患者指導管理料
・糖尿病透析予防指導管理料
・生活習慣病管理料

在宅医療
・衛生材料等提供加算
・在宅寝たきり患者処置指導管理料

投薬
・投薬費用（処方箋料・外来受診時の投薬費用含む）

処置
・創傷処置
・爪甲除去
・穿刺排膿後薬液注入
・喀痰吸引
・干渉低周波去痰器による喀痰排出
・ストーマ処置
・皮膚科軟膏処置
・膀胱洗浄
・後部尿道洗浄
・留置カテーテル設置
・導尿
・介達牽引
・矯正固定
・変形機械矯正術
・消炎鎮痛等処置
・腰部または胸部固定帯固定
・低出力レーザー照射
・肛門処置
・鼻腔栄養

再診料
・情報通信機器を用いた場合の再診料

在総管や施設総管を算定している場合は，その患者に必要十分な物品をお渡ししなければならないよ．

患者の居住場所のタイプで，在総管，施設総管のどちらを算定するのかが決まります．戸建の住宅，マンションやアパートなどの集合住宅，そして小規模多機能居宅介護事業所などは在総管を，有料老人ホームや高齢者向け住宅などでは施設総管を算定します．

在総管を算定する居住場所

在総管は，自宅で療養する患者の他，小規模多機能型居宅介護，看護小規模多機能型居宅介護を利用する患者，ケアハウスの入居者に算定します（表4-1）.

小規模多機能居宅介護等で算定する場合

表4-1の※にある「小規模多機能型居宅介護」，「看護小規模多機能型居宅介護」は，宿泊時に訪問診療を行った患者にのみ在総管を算定できますが，算定できる医師や期間には表4-2の制限があります．

すなわち，小規模多機能居宅介護，看護小規模多機能居宅介護を利用する30日前から，自宅で訪問診療を利用している必要があるのです（図4-2）.ただし，退院日から利用した場合は，30日以内に訪問診療を自宅で利用していなくても算定できます．

表4-2 **小規模多機能型居宅介護・看護小規模多機能型居宅介護・短期入所生活介護・介護予防短期入所生活介護が算定できる医師や期間の制限**

- サービス利用前30日以内に在宅患者訪問診療料，在総管，施設総管，在宅がん医療総合診療料を算定した保険医療機関の医師のみ
- サービス利用開始後30日まで算定可

表4-1 **在総管を算定する居住場所**

- 自宅
- 小規模多機能型居宅介護（宿泊時のみ）※
- 看護小規模多機能型居宅介護（宿泊時のみ）※
- ケアハウス
- →※表4-2の制限があります

図4-2 **小規模多機能型居宅介護・看護小規模多機能型居宅介護・短期入所生活介護・介護予防短期入所生活介護の利用期間の考え方**

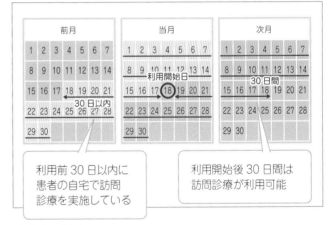

利用期間の考え方

患者が居住する施設によっては「サービス利用前30日間以内に患者の自宅で訪問診療等を算定している場合，利用開始後30日以内に限り利用可能」というルールがあります．このルールをカレンダーで表すとこのようになります．この利用期間ルールが適用されるのは次の診療報酬と居住場所です．
【訪問診療】（表2-1，p.29参照）
小規模多機能型居宅介護と看護小規模多機能型居宅介護の宿泊時
短期入所生活介護
【在総管】
小規模多機能型居宅介護と看護小規模多機能型居宅介護の宿泊時
【施設総管】
短期入所生活介護，介護予防短期入所生活介護

末期の悪性腫瘍患者の施設利用

・小規模多機能居宅介護（宿泊時のみ）　　　・短期入所生活介護
・看護小規模多機能型居宅介護（宿泊時のみ）　・介護予防短期入所生活介護

　上記の施設を末期の悪性腫瘍患者が利用する場合，30 日を超えても在総管・施設総管が算定できます．末期の悪性腫瘍患者で，自宅で最期まで過ごしたいけれども，介護をする家族の疲弊が心配という場合や，1ヵ月以上の施設利用も視野に入れながら，在宅療養を続けたいという場合でも，上記施設を利用するならば，医療機関は管理料も算定できることもあり，積極的に関われるのです．

施設総管を算定する居住場所

　施設総管は，表 4-3 に該当する施設入居者に対して算定します．短期入所生活介護，介護予防短期入所生活介護では，算定できる医師や期間には制限があります（表 4-2）．また，特別養護老人ホームは，末期の悪性腫瘍患者か死亡日から遡って 30 日以内の患者のみに算定できます．

表 4-3　施設総管を算定する居住場所

・養護老人ホーム（定員 110 名以下に限る）
・軽費老人ホーム（A 型）
・特別養護老人ホーム
　→末期の悪性腫瘍患者または，死亡日から遡って 30 日以内の患者のみ算定可
・特定施設
・有料老人ホーム
・サービス付き高齢者向け住宅
・認知症対応型共同生活介護（グループホーム）
・短期入所生活介護 ※
・介護予防短期入所生活介護 ※
　→※表 4-2 の制限があります

変更 → **在総管，施設総管の診療報酬**

　「先月と同じ診療内容だったはずなのに，今月の請求金額が先月とは違う」という話を患者や家族から聞いたことはありませんか？その原因は多々考えられますが，「在総管・施設総管の算定区分が前月とは違うから」という場合が多いと思います．在総管・施設総管は「病名」や「1 月に同じ建物内で在総管・施設総管を何人算定したか（単一建物診療患者，p.58 参照）」，「オンライン診療を行ったがどうか」等によって該当する区分が変わり，費用が変わっていきます．

　2024 年の改定では，単一建物診療患者の区分が増えたことと，処方箋料が再編されたことなどから診療報酬が変わっています．さらには，訪問診療の算定回数が多い医療機関に対しての在総管・施設総管の診療報酬も見直され，表 4-4 に該当する場合には，所定点数より 4 割減算されるなど，適切な訪問診療を促す改定となっています（表 4-5）．

　単一建物診療患者の数が 10 人以上の患者について，当該保険医療機関における直近 3 ヵ月間の訪問診療回数および当該保険医療機関と特別の関係にある保険医療機関（2024 年 3 月 31 日以前に開設されたものを除く）における直近 3 ヵ月間の訪問診療回数を合算した回数が 2,100 回以上の場合であって，次の要件のいずれかを満たさない場合はそれぞれ所定点数の 100 分の 60 に相当する点数を算定する．

イ）直近 1 年間に 5 つ以上の保険医療機関から，文書による紹介を受けて訪問診療を開始した実績があること

ロ）当該保険医療機関において，直近 1 年間の在宅における看取りの実績を 20 件以上有していること，または重症児の十分な診療実績等を有していること．

ハ）直近 3 ヵ月に在宅時医学総合管理料または施設入居時等医学総合管理料を算定した患者のうち，施設入居時等総合管理料を算定した患者の割合が 7 割以下であること．

ニ）直近 3 ヵ月間に在宅時医学総合管理料または施設入居時等医学総合管理料を算定した患者のうち，「要介護 3 以上」・「認知症自立度Ⅲ以上」・「障害者支援区分Ⅱ以上」・「特掲診療料の施設基準等別表第 8 の 2」に掲げる別に厚生労働大臣が定める状態の患者の割合が 5 割以上であること．

変更 表 4-5　**在総管・施設総管の診療報酬**

	機能強化型在支診・在支病（病床あり）					機能強化型在支診・在支病（病床なし）					在支診・在支病					その他				
在宅時医学総合管理料	1人	2~9人	10~19人	20~49人	50人~	1人	2~9人	10~19人	20~49人	50人~	1人	2~9人	10~19人	20~49人	50人~	1人	2~9人	10~19人	20~49人	50人~
Ⓐ月2回以上訪問（難病等）	5,385点	4,485点	2,865点	2,400点	2,110点	4,985点	4,125点	2,625点	2,205点	1,935点	4,585点	3,765点	2,385点	2,010点	1,765点	3,435点	2,820点	1,785点	1,500点	1,315点
Ⓑ月2回以上訪問	4,485点	2,385点	1,185点	1,065点	905点	4,085点	2,185点	1,085点	970点	825点	3,685点	1,985点	985点	875点	745点	2,735点	1,460点	735点	655点	555点
Ⓒ（うち1回は情報通信機器を用いた診療）	3,014点	1,670点	865点	780点	660点	2,774点	1,550点	805点	720点	611点	2,554点	1,450点	765点	679点	578点	2,014点	1,165点	645点	573点	487点
Ⓓ月1回訪問	2,745点	1,485点	765点	670点	575点	2,505点	1,365点	705点	615点	525点	2,285点	1,265点	665点	570点	490点	1,745点	980点	545点	455点	395点
Ⓔ（うち2月目は情報通信機器を用いた診療）	1,500点	828点	425点	373点	317点	1,380点	768点	395点	344点	292点	1,270点	718点	375点	321点	275点	1,000点	575点	315点	264点	225点
施設入居時等医学総合管理料	1人	2~9人	10~19人	20~49人	50人~	1人	2~9人	10~19人	20~49人	50人~	1人	2~9人	10~19人	20~49人	50人~	1人	2~9人	10~19人	20~49人	50人~
Ⓕ月2回以上訪問（難病等）	3,885点	3,225点	2,865点	2,400点	2,110点	3,585点	2,955点	2,625点	2,205点	1,935点	3,285点	2,685点	2,385点	2,010点	1,765点	2,435点	2,010点	1,785点	1,500点	1,315点
Ⓖ月2回以上訪問	3,185点	1,685点	1,185点	1,065点	905点	2,885点	1,535点	1,085点	970点	825点	2,585点	1,385点	985点	875点	745点	1,935点	1,010点	735点	655点	555点
Ⓗ（うち1回は情報通信機器を用いた診療）	2,234点	1,250点	865点	780点	660点	2,054点	1,160点	805点	720点	611点	1,894点	1,090点	765点	679点	578点	1,534点	895点	645点	573点	487点
Ⓘ月1回訪問	1,965点	1,065点	765点	670点	575点	1,785点	975点	705点	615点	525点	1,625点	905点	665点	570点	490点	1,265点	710点	545点	455点	395点
Ⓙ（うち2月目は情報通信機器を用いた診療）	1,110点	618点	425点	373点	317点	1,020点	573点	395点	344点	292点	940点	538点	375点	321点	275点	760点	440点	315点	264点	225点

※表内ⒶⒷⒹⒻⒼⒾは図 4-4，ⒸⒺⒽⒿは図 4-5 に対応しています．

変更 | 単一建物診療患者数による区分

往診や訪問診療では「同一建物居住者」という
ルールが診療報酬算定上必須でしたが，在総管・施
設総管では「単一建物診療患者数」というルールが
必須になります（図4-3）．

単一建物診療患者数とは，1つの建物に居住する
者のうち，1つの保険医療機関が在総管・施設総管
を算定する人数のことです．単一建物診療患者数の
区分については，以前は「1人」，「2～9人」，「10
人以上」の3区分でしたが，2024年の改定でさら
に「10～19人」，「20～49人」，「50人以上」の
3区分が追加され，計5区分になりました．

在総管・施設総管は，月1回か月2回以上かと
いう診療頻度と病名・状態，そして，この単一建物

診療者数の区分によって診療報酬単価が異なってき
ます．同じ建物に訪問診療を行う人が2人いれば，
「2～9人以下の場合」を算定しますが，死亡や入
院，転居により1人が減ったら，次月は「1人の場
合」を算定することになります．ここで「診療内容
は同じなのに，先月と費用が違う」という問題が起
こる場合があるのです．

単一建物診療者数のカウントには在総管には3
つの例外があり，施設総管には2つの例外がある
ため注意が必要です．表4-6の①～④は訪問診療
を行っている患者が2人以上いても，それぞれ「単
一建物診療患者1人の場合」を算定します．

図4-3　「単一建物診療患者数」＝「1つの建物で何人在総管・施設総管を算定したか」で変わる

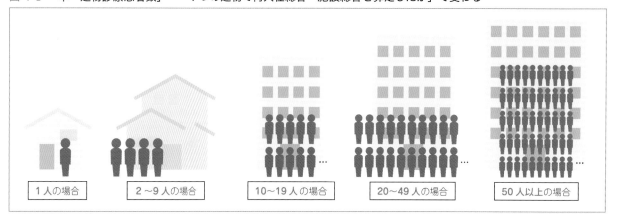

| 1人の場合 | 2～9人の場合 | 10～19人の場合 | 20～49人の場合 | 50人以上の場合 |

表4-6　単一建物診療患者のカウントにおける例外

〈在総管の例外〉

①同一世帯に2人以上の患者がいる場合
②在総管を算定する患者が，建物の総戸数の10%以下の場合
　（例）同じマンションに10人の在総管を算定する在宅患者がいても，総戸数200戸のマンションなら，「患者1人の場合」を算定する
③建物の総戸数が20戸未満で在総管を算定する患者が2人以下の場合
　（例）総戸数10戸のマンションで，在総管を算定する患者が2人の場合でも「患者1人の場合」を算定する

〈施設総管の例外〉

④同一世帯に2人以上の患者がいる場合
⑤グループホームの場合は，各ユニットごとの診療患者数を単一建物診療患者数とみなす
　（例）同じグループホームでも，ユニットAに1人，ユニットBに1人の患者がいた場合は，「2人以上9人以下」ではなく，それぞれ「患者1人の場合」を算定する

診療頻度と診療方法・病名・状態による区分

在宅患者訪問診療料を月1回算定するか，月2回以上算定するかオンライン診療を実施したかで異なります．以前は「月2回以上」のみでしたが，月1回の在総管・施設総管を設定されたことで，月1回の訪問診療で管理できる軽症の在宅患者はそれを基本とし，より多くの在宅患者を受け入れられるようにしたものと考えられます．また，重症の在宅患者にもしっかり対応する医療機関を評価することで，重症患者の受け入れ拡大を目指すよう，月2回以上のなかでも，「厚生労働大臣が定める状態（特掲診療料の施設基準等別表第8の2）」に該当する重症度の高い患者（表4-7）の場合は，高い診療報酬が設定されています．

診療頻度と診療方法，患者の病名・状態による区分があります（図4-4）．

表4-7 **在総管・施設総管における「厚生労働大臣が定める状態（特掲診療料の施設基準等別表第8の2）」**

〈疾患〉
・末期の悪性腫瘍　・指定難病　・脊髄損傷　・スモン
・後天性免疫不全症候群　・真皮を超える褥瘡
〈状態〉
・在宅自己連続携行式腹膜灌流を行っている状態
・在宅血液透析を行っている状態
・在宅酸素療法を行っている状態
・在宅中心静脈栄養法を行っている状態
・在宅成分栄養経管栄養法を行っている状態
・在宅自己導尿を行っている状態　・在宅人工呼吸を行っている状態
・植込型脳・脊髄刺激装置による疼痛管理を行っている状態
・肺高血圧症であって，プロスタグランジン I₂ 製剤を投与されている状態
・気管切開を行っている状態
・気管カニューレを使用している状態
・ドレーンチューブまたは留置カテーテルを使用している状態（胃ろうカテーテルは含まない）
・人工肛門または人工膀胱を設置している状態

図4-4 **診療頻度・病名・状態による区分**

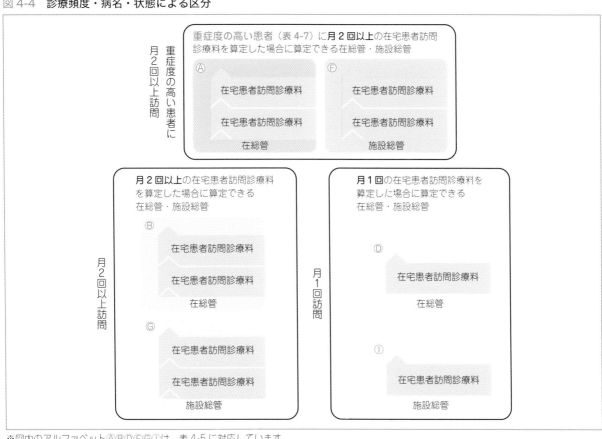

※図内のアルファベットⒶⒷⒹⒻⒼⒾは，表4-5に対応しています．

オンライン診療も算定の対象です

2018年の診療報酬改定時に医師と患者が離れた場所にいながら，ビデオ通話などの情報通信機器を用いて行う診療（オンライン診療）にも診療報酬ができました．在宅医療では，オンライン診療料（71点）とオンライン在宅管理料（100点）がありました．

2022年の診療報酬改定ではオンライン診療がさらに評価されて，施設総管の算定患者も対象になりました．またオンライン在宅管理料は廃止となっています．

オンライン診療を行う医師は，訪問診療を行う医師であることという算定要件があります．ただし，同一の保険医療機関に所属するチームで診療を行っている場合は，事前に対面診療を行っていない医師がオンライン診療を行った場合も算定できます．また，初回は訪問診療を行う必要があり，月1回訪問の患者に対して，2ヵ月連続でオンライン診療した場合は算定できません（図4-5）．

図4-5　診療頻度・病名・状態による区分

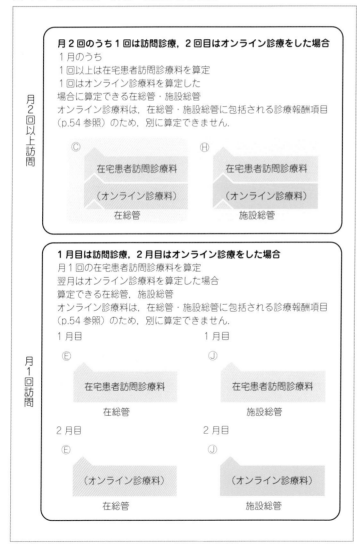

重症度の高い患者には，高い診療報酬が設定されています．

※図内のアルファベットⒸⒺⒽⒿは，表4-5に対応しています．

患者マネジメントの **Point**

マンパワーが足りないときは，訪問回数を再考するのも一案です

　患者が急激に増えた，または医師が減ったなど，クリニックを経営していると訪問スケジュールを調整せざるを得ない状況に陥ることがあります．マンパワーが足りないから訪問数を減らすしか方法はないが，訪問数を減らすと経営が厳しくなってしまう……と考えがちですが，一概にそうとはいえません．1回あたりの単価を計算すると月1回訪問の方が高い場合もあるのです．状態が落ち着いている患者であれば月1回に訪問を減らして，空いた時間に新しい患者を入れて急場を凌ぎ，マンパワーが整った時には月2回に増やして手厚く診るようにしてはどうでしょう．ただし，月2回訪問していた患者が月1回の訪問になるときも，その逆のときも，患者や家族に理由を説明して了解を得るようにしてください．その際には，在宅療養計画を作成しなおす必要があります．

マンパワーのないときは，1人の患者に月2回訪問診療するよりも，月1回の人を2人訪問診療したほうが，多くの人を診療でき経営的にもプラスになります．

月2回訪問と月1回訪問の報酬額シミュレーション

　施設総管，在総管はいずれも機能強化型在宅療養支援診療所，在宅療養支援病院の病床ありの報酬額です．

施設総管の一番単価の低い（10人以上）管理料の場合（包括的支援加算対象患者）

・月2回
　213点（在宅患者訪問診療料Ⅰの1同一建物居住者の場合）×2回＋1,185点（施設総管）＋150点（包括的支援加算）＝1,761点（1回あたりの単価は880.5点）

・月1回
　213点（在宅患者訪問診療料Ⅰの1同一建物居住者の場合）＋765点（施設総管）＋150点（包括的支援加算）＝1,128点（1回あたりの単価は1,128点）

　月2回の場合の報酬単価は880.5点，月1回だと1,128点になり，1回訪問の方が高くなります．

在総管の重症度が高いものが算定できる1人の場合（包括的支援加算対象患者）

・月2回
　888点（在宅患者訪問診療料Ⅰの1同一建物居住者以外の場合）×2回＋5,385点（在総管）＝7,161点（1回あたりの単価は3,580.5点）

・月1回
　888点（在宅患者訪問診療料Ⅰの1同一建物居住者以外の場合）＋2,745点（在総管）＋150点（包括的支援加算）＝3,783点（1回あたりの単価は3,783点）

　在総管の重症度が高い場合を算定するには月に2回以上の訪問になり，包括的支援加算も算定できないために1回あたり3,580.5点になります．それに対して，月1回訪問では包括的支援加算も算定でき，3,783点です．

在総管・施設総管の加算

在総管・施設総管には次のような加算があります．経営者・医療事務の方は必読です！

処方箋を交付しない場合　300点

「在宅薬剤のみ院外処方の場合」は算定できますが，「当該月に処方を行わなかった場合」，「状態が安定していて投薬がない場合」，「前月に2ヵ月分院外処方をしている場合」は算定不可です．

変更 頻回訪問加算　初回　　　800点／月
　　　　　　　　2回目以降 300点／月

特別な管理を必要とする者（別表第3の1の3）に，月4回以上往診または訪問診療を行った場合に加算します．2024年の改定で初回と2回目以降の報酬が設定されました．

対象患者
（特掲診療料の施設基準等別表第3の1の3）
1　末期の悪性腫瘍患者
2　①であって，②または③の状態である者
①次の指導管理を受けている状態にある者
　　在宅自己腹膜灌流指導管理，在宅血液透析指導管理，在宅酸素療法指導管理，在宅中心静脈栄養法指導管理，在宅成分栄養経管栄養法指導管理，在宅人工呼吸指導管理，在宅麻薬等注射指導管理，在宅腫瘍化学療法注射指導管理，在宅強心剤持続投与指導管理，在宅自己疼痛管理指導管理，在宅肺高血圧症患者指導管理，在宅気管切開患者指導管理
②ドレーンチューブまたは留置カテーテルを使用している状態（胃ろうカテーテルは該当しない）
③人工肛門または人工膀胱を設置している状態
3　居宅において療養を行っている患者であって，2の①に掲げる指導管理を2つ以上行っている患者

在宅移行早期加算　100点

入院から1年以内に在宅医療に移行した者に3ヵ月間，月1回加算します．

包括的支援加算　150点（月に1回）

通院が特に困難な患者や，他医療機関や施設等の関係機関との調整や連携に特に支援を要する患者への対応を評価したもの．在総管・施設総管の診療報酬の月2回以上訪問（難病等）（表4-5 Ⓐ・Ⓕ，p.57参照）を算定する患者には算定できません．

対象患者
（特掲診療料の施設基準等別表第8の3）
・要介護3以上 変更，障害支援区分2以上
・認知症高齢者の日常生活自立度Ⅲ以上 変更
・週4回以上の訪問看護を受けている
・訪問診療時，訪問看護時に注射や処置を行っている患者
・特定施設等の入居者では，医師の指示を受けて看護職員が注射，喀痰吸引，鼻腔栄養を行っている患者
・麻薬の投薬を受けている患者 New
・特別な医学管理を必要とする状態　　　　　　など

変更 在宅療養移行加算

2024年の改定で病院も評価対象になり，在宅療養支援診療所・在宅療養支援病院以外の保険医療機関が算定でき，加算も4までに増えました．外来患者が通院困難になって訪問診療に移行しても，継続して診療できる体制を確保することを評価したもので，外来を4回以上受診したのちに訪問診療に移行した患者が対象です．加算1・2は，24時間の往診体制の確保が算定要件．加算2・4は，それぞれ加算1・3の算定要件「患者情報を月1回程度の定期カンファレンスやICTによって連携先に提供」をしない場合に算定します．

在宅療養移行加算1　316点

算定要件

・自院単独または他院との連携で24時間往診・連絡体制を確保

・自院と連携他院，連携訪問看護ステーションからの訪問看護提供体制を確保

・診療時間外の連絡先と緊急時の注意事項，往診担当医などを文章で情報提供

・患者情報を月1回程度の定期カンファレンスやICTによって連携先に提供

在宅療養移行加算2　216点

算定要件

・自院単独または他院との連携で24時間往診・連絡体制を確保

・自院と連携他院，連携訪問看護ステーションからの訪問看護提供体制を確保

・診療時間外の連絡先と緊急時の注意事項，往診担当医などを文章で情報提供

在宅療養移行加算3　216点

算定要件

・自院・連携他院により往診体制，自院単独または他院との連携で24時間連絡体制を確保

・自院・連携他院，連携訪問看護ステーションからの訪問看護提供体制を確保

・診療時間外の連絡先と緊急時の注意事項，往診担当医などを文章で情報提供

・患者情報を月1回程度の定期カンファレンスやICTによって連携先に提供

在宅療養移行加算4　116点

算定要件

・自院・連携他院により往診体制，自院単独または他院との連携で24時間連絡体制を確保

・自院・連携他院，連携訪問看護ステーションからの訪問看護提供体制を確保

・診療時間外の連絡先と緊急時の注意事項，往診担当医などを文章で情報提供

在宅療養指導管理料─患者が使用する医療機器の管理や指導に対する診療報酬─

在宅患者のなかには，中心静脈栄養や酸素療法などを受け，医療機器の使用や処置が必要な患者がいます．そのような継続的に医療機器の使用や処置が必要な患者に対して算定できる管理料を在宅療養指導管理料といいます．2024年4月現在，35項目の在宅療養指導管理料があります（表4-8）．

在宅療養指導管理料の算定のポイント

（1）医師が，指導管理が必要と判断した患者や患者の看護に当たる者に対して，

①療養上必要な事項について適正に指導した上で

②医学管理を十分に行い

③必要かつ十分な量の衛生材料，保険医療材料を支給した場合

在宅療養指導管理料が算定できます．

（2）算定は原則月1回限りです（特別な規定により，月3回まで算定できる加算もあり）．

同じ患者に月2回以上指導管理を行った場合は，1回目に指導管理を行った日に算定します．医療機関に来院した患者の看護者にのみに指導した場合は算定できません．

（3）衛生材料などの支給は，①患者に直接渡す②薬局を通じて渡す（届出ている薬局のみ可能）という2つの方法があります．

（4）1人の患者に対して2つ以上の在宅療養指導管理を行う場合，主たる指導管理1つの診療報酬しか算定できません．

（5）1人の患者に対して複数の医療機関が同一の指導管理を行った場合，原則，主たる指導管理を行う医療機関1ヵ所のみが算定します．

表 4-8　**在宅療養指導管理料**

1）退院前在宅療養指導管理料	19）在宅自己疼痛管理指導管理料
2）在宅自己注射指導管理料	20）在宅振戦等刺激装置治療指導管理料
3）在宅小児低血糖症患者指導管理料	21）在宅迷走神経電気刺激療養指導管理料
4）在宅妊娠糖尿病患者指導管理料	22）在宅仙骨神経刺激療法指導管理料
5）在宅自己腹膜灌流指導管理料	23）在宅舌下神経電気刺激療法指導管理料
6）在宅血液透析指導管理料	24）在宅肺高血圧症患者指導管理料
7）在宅酸素療法指導管理料	25）在宅気管切開患者指導管理料
8）在宅中心静脈栄養法指導管理料	26）在宅喉頭摘出患者指導管理料
9）在宅成分栄養経管栄養法指導管理料	27）在宅難治性皮膚疾患処置指導管理料
10）在宅小児経管栄養法指導管理料	28）在宅植込型補助人工心臓（非拍動流型）指導管理料
11）在宅半固形栄養経管栄養法指導管理料	29）在宅経腸投薬指導管理料
12）在宅自己導尿指導管理料	30）在宅腫瘍治療電場療法指導管理料
13）在宅人工呼吸指導管理料	31）在宅経肛門的自己洗腸指導管理料
14）在宅持続陽圧呼吸療法指導管理料	32）在宅中耳加圧療法指導管理料
15）在宅ハイフローセラピー指導管理料	33）在宅抗菌薬吸入療法指導管理料
16）在宅麻薬等注射指導管理料 変更	34）在宅強心剤持続投与指導管理料 New
17）在宅悪性腫瘍患者共同指導管理料	35）在宅悪性腫瘍等化学療法注射指導管理料 New
18）在宅寝たきり患者処置指導管理料	

同一月に複数の医療機関で在宅療養指導管理料を算定できる4つのケース

在宅療養指導管理料は，原則として1人の患者につき1つの医療機関しか算定できませんが，次の4つのケースでは1人の患者に対して複数の医療機関が指導管理料を算定することができます．

①紹介月に限って，在宅療養支援診療所や在宅療養支援病院から紹介を受けた医療機関が，紹介元と異なる指導管理を行う場合．ただし，在宅酸素療法指導管理料と在宅人工呼吸器指導管理料など，算定できない組合せの場合は算定できません．

②15歳未満の人工呼吸器を装着している患者，または15歳未満から引き続き人工呼吸器を装着している体重20kg未満の患者に対し，在宅療養後方支援病院と連携する別の医療機関が異なる在宅療養指導管理を行う場合．ただし，在宅酸素療法指導管理料と在宅人工呼吸器指導管理料など，算定できない組合せの場合は算定できません．

③入院医療機関が退院時に指導管理を行い，退院後に別の医療機関が指導管理を行う場合．この場合は，レセプトの適用欄に算定理由の記載が必要です．

④複数の医療機関が異なる疾患に対する在宅自己注射指導管理を行う場合．この場合では，相互の医療機関で処方されている注射薬などを把握する必要があります．

押さえておきたい指導管理料5つ

栄養編

在宅成分栄養経管栄養法指導管理料

在宅成分栄養経管栄養法を行っている入院中でない患者に，同法に関する指導管理を行った場合，月1回算定できます．要件を満たせば，15歳未満の患者にも算定可能です．鼻腔栄養の費用は算定できません．

> 在宅成分栄養経管栄養法は，経口摂取ができない，または著しく困難な患者が，患者自ら行う栄養法（胃ろうや腸ろう，経鼻経管栄養など）です．

対象薬剤

算定対象となるのがアミノ酸，ジペプチドまたはトリペプチドを主なタンパク源とし，未消化態タンパクを含まないといった，栄養成分の明らかなものに限られているため，対象薬剤はエレンタール®，エレンタール®P，ツインライン®NFの3種類のみに限られている．
エンシュア・リキッド®やラコール®などの栄養剤は，未消化態タンパクを含むため対象外．

在宅小児経管栄養法指導管理料

経管栄養法を行っている入院中でない小児患者に対して，同法に関する指導を行った場合，月1回算定します．対象薬剤の定めはありません．また，鼻腔栄養の費用は併算定できません．

対象者

①経口摂取が著しく困難な15歳未満の患者
②15歳以上で経口摂取が著しく困難な状態が15歳未満から続く患者．ただし，体重20kg未満の患者に限る
経管栄養法を行っているが，在宅成分栄養経管栄養法の算定要件を満たさない15歳未満の患者などでも算定可能．

在宅半固形栄養経管栄養法指導管理料

在宅半固形栄養経管栄養法を行っている入院中でない患者に，同法に関する指導管理を行った場合，月1回算定できます．胃ろう造設後1年以内で，半固形（ゲル状）の高カロリー薬や流動食を使用している患者が対象で算定開始日から1年間算定できます．経口摂取が回復するように指導管理を合わせて行う必要があり，鼻腔栄養の費用は併算定でき

ません．

対象薬剤

主として薬価基準に収載されている高カロリー薬または薬価基準に収載されていない市販品の流動食で，投与時間の短縮ができるように調整された半固形状態のものを用いた場合のみ．

在宅中心静脈栄養法指導管理料

在宅中心静脈栄養法を行っている入院中でない患者に，同法に関する指導管理を行った場合に月1回算定します．中心静脈栄養法（TPN：total parenteral nutrition または IVH：intravenous hyper alimentation）とは，栄養の経口摂取が不可能な患者の中心静脈に挿入したカテーテルを経由して行う高カロリー輸液のことです．医師が中心静脈栄養法以外に栄養摂取が困難と判断した患者が算定の対象です．

この指導管理料を算定している患者には，中心静脈注射および植込型カテーテルによる中心静脈注射

の費用，在宅患者訪問点滴注射管理指導料は算定できません．

在宅中心静脈栄養法用輸液セット加算

輸液用器具（輸液バッグ），注射器，採血用輸液用機器（輸液ライン）といった在宅中心静脈栄養法用の輸液セットの費用は，1ヵ月に6組までの使用であれば，在宅中心静脈栄養法用輸液セット加算として算定でき，6組を超える分は特定保険医療材料で算定可能．

在宅酸素編

在宅酸素療法指導管理料

在宅酸素療法を行っている入院中でない患者に，同法に関する指導管理を行った場合に月1回算定します．喀痰吸引などの処置料は併算定できません．

この指導管理料には材料費は含まれていないた

め，必要な材料は在宅酸素療法材料加算として算定できます．なお，この加算は患者が受診しない月も含めて3ヵ月に3回まで加算が可能です．

併算定できる？ できない？

在宅療養指導管理料は，在宅時医学総合管理料，施設入居時等医学総合管理料を算定している患者に対しても併算定可能です．ただし，在宅寝たきり患者処置指導管理料だけは，併算定できま

せん．また，在宅がん医療総合診療料（p.139参照）を算定している患者に対しては，在宅療養指導管理料は算定できないので注意が必要です．

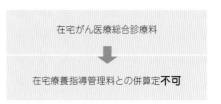

章末問題

問 4-1

在総管と施設総管の算定要件には，往診を行った日は含まれない．

問 4-2

在総管と施設総管は，主として診療を行っている 1 つの医療機関が算定する．

問 4-3

在総管と施設総管は，通院が困難な患者に対して，本人の同意を得て計画的な医学管理の下に月 1 回以上の定期的な訪問診療を行う場合に，月 1 回算定できる．

問 4-4

在総管と施設総管では，末期の悪性腫瘍の患者について想定される病状の変化や予後などを，主治医がケアマネジャーに情報提供することが望ましい．

問 4-5

在総管と施設総管は，定期的な訪問診療の頻度，患者の重症度，同じ建物に居住する入居者数によって点数が変わる．

問 4-6

認知症対応型共同生活介護やサービス付き高齢者向け住宅では，在総管を算定する．

問 4-7

1 つの患家に在総管や施設総管の対象患者が 2 人いる場合，どちらか 1 人しか在総管，施設総管は算定できない．

問 4-8

同一世帯に 2 人以上の患者がいる場合は，在総管，施設総管の「2 人以上 9 人以下の場合」を算定する．

問 4-9

単一建物診療患者数は，1 つの建物に居住する者のうち，1 つの保険医療機関が在総管・施設総管を算定する者の人数をいう．

問 4-10

在総管・施設総管と在宅療養指導管理料は併せて算定できる．

▶解答&解説はp.144, 145

問 4-11

特別養護老人ホームの入居者は，末期の悪性腫瘍の場合は，施設総管を算定できる．

問 4-12

在総管，施設総管には投薬の費用や導尿，留置カテーテル設置などの処置の費用も含まれており，別に算定できない．

問 4-13

在宅酸素療法指導管理を受けている患者は，月に4回以上の往診または訪問診療を行えば，頻回訪問加算が算定できる．

問 4-14

要介護1以上の患者は，在総管，施設総管の加算である包括的支援加算の対象である．

問 4-15

在総管と施設総管において高い点数が算定できる「厚生労働大臣が定める状態別表第8の2」には，胃ろうも含まれる．

問 4-16

小規模多機能型居宅介護の患者では，サービス利用前30日以内に患家を訪問し，在宅患者訪問診療料，在総管，施設総管，在宅がん医療総合診療料のいずれかを算定した医療機関の医師に限り，サービス利用開始後30日までは宿泊日に限り，在宅患者訪問診療料や在総管を算定できる．

問 4-17

短期入所生活介護では，サービス利用前30日以内に訪問診療料などを算定している医療機関の医師に限りサービス利用開始後60日は，施設総管を算定できる．

問 4-18

在総管，施設総管の加算である在宅療養移行加算は，在宅療養支援診療所のみ算定できる．

問 4-19

在総管，施設総管の加算である在宅移行早期加算は，退院から1年以内に在宅医療に移行した者に6ヵ月間，月1回加算する．

問 4-20

在宅酸素療法指導管理をしていてドレーンチューブを使用している状態の患者は，月4回以上往診または訪問診療を行った場合に，在総管，施設総管の加算である頻回訪問加算を算定できる．

▶解答&解説はp.144, 145

問 4-21

末期の悪性腫瘍患者は，月4回以上の往診または訪問診療を行った場合に，在総管，施設総管の加算である頻回訪問加算が算定できる．

問 4-22

要介護3以上，身体障害者手帳2級以上の者には，在総管，施設総管の加算である包括的支援加算が算定できる．

問 4-23

在宅医療に関わる交通費は患者に負担していただくことができる．

問 4-24

在宅療養指導管理料は，主たる1つの医療機関以外は例外なく算定できない．

問 4-25

在宅療養指導管理料を算定しても，別に衛生材料の費用を患者から徴収できる．

問 4-26

在宅中心静脈栄養法指導管理料を算定している患者は，在宅患者訪問点滴注射管理指導料を算定できない．

問 4-27

在宅半固形栄養経管栄養法指導管理料の対象者は，経口摂取の回復に向けた指導を行い，胃ろう造設術後1年以内に半固形栄養剤等を使用する患者であり，胃ろう造設日から1年間算定が可能である．

問 4-28

在宅成分栄養経管栄養法指導料には，対象薬剤の定めはない．

問 4-29

在宅小児経管栄養法指導管理料に定められている対象薬剤は，エレンタール®，エレンタール®P，ツインライン®NF の3種類に限られる．

▶解答&解説はp.144, 145

ちょっと**Break!**　できることとすべきことは違う

在宅医療でも，病院と同じ程度の医療処置や検査をすることは可能です．しかし，医師にどれほどの技術があったとしても，患者さんの思いに寄り添うことなく，病院の医療をそのまま在宅医療に持ち込もうとすると，患者さんやご家族の負担になると思います．

ただ，私自身も開業当初は，病院の医療をそのまま在宅医療に持ち込み，病院と同じ医療をすることで在宅医療の素晴らしさをアピールしようとしていた時期がありました．せっかく在宅医療専門で開業したのだから，外来と訪問診療を併行して行う診療所では診られないような重症患者を診ることが良いように思っていたのです．当時は，看取り患者のほとんどにIVHのリザーバーを付ける処置を病院に依頼していましたが，しばらくして，これは本当に患者さんのためになっているのだろうかと迷い始めたのです．

もちろん，在宅で可能な限りの医療を受けて，1日でも長く生きたいという患者さんもいて，そのような患者さんには希望通り対応します．しかし，超高齢の末期がん患者さんにIVHをして少し寿命が延びたとしても，それが本当に患者さんやご家族にとって満足できる，納得できる最期につながるのだろうかと疑問に思うようになりました．

在宅患者は，すでに経口摂取できないか，ほどなくして経口摂取できなくなる状態にある方がほとんどです．病院で輸液を受けていれば，そのままの医療を患者さんもご家族も望むし，食べられなくなったら，栄養補給のためにと点滴を希望します．しかし，患者さんの身体状態に対して輸液量や人工栄養注入量が過剰だと，体で処理できない水分が浮腫や痰となってしまい，患者さんをかえって苦しめ，介護をするご家族には痰の吸引という医療行為が課されることになります．ご家族は介護負担が増えて疲弊し，自宅介護や看取りをあきらめてしまうこともあるのです．

不必要な輸液や人工栄養注入は中止または減量して，体で処理できる状態にする方が患者さんやご家族のために良いことは明白ですが，反対するご家族も多いのが現状です．点滴や人工栄養を中止することで，患者さんの死を早めてしまうように思えるからなのかもしれません．

そこで重要になるのが，人生会議です．患者さんもご家族も医療従事者も，限られた命に向き合い，今後どのような治療やケアを受けていきたいのかという患者さん本人の希望や意思に思いを馳せることが大切です．すると，ご家族も納得の上で決断でき，医療従事者の対応も決まる．患者さんが延命を希望するならば，それをあえてリスクのある在宅医療で行おうとせず，入院治療を勧めることも大切な患者支援でもあります．

在宅医療では，「できるけれども，あえてしない勇気を持つ」ことが大切です．「できること」と「すべきこと」は違うと思うのです．点滴や人工栄養法ができるからといって最期まで続けるよりも，点滴や人工栄養の注入を減量したり中止すると，痰が減って吸引が不要になるばかりか，場合によってはそれまで口から食べられなかった患者さんが，好きなものを味わうという食支援につなげることもできます．患者さんが最期まで好きなものを口にする姿は，ご家族の喜びとなり，納得できる最期，看取りにもつながると思います．

医療を最小限にすることで，可能になることがあるのです．看取りの医療は，「引き算の医療」とも呼ばれていますが，医療を最小限にすることは，「引き算の医療」ではなく，むしろできる事が増える「足し算の医療」ではないかと私は考えています．在宅医療は，できるだけシンプルにいきましょう．

> 在宅医療では，
> できるけれどもあえてしない勇気を持つことも大切.

訪問看護を
フル活用するために
これだけは
知っておきたい！

第5章 訪問看護をフル活用するために これだけは知っておきたい！

ここで
学ぶこと

▶ 医療保険を利用する訪問看護の特徴

▶ 医療保険利用と介護保険利用が切り替わるポイント

▶ 訪問看護早わかりチャートを使いこなして，患者マネジメントに活かそう

訪問看護は，介護保険と医療保険の両方が使える！

訪問診療や往診は医療保険からのみの給付ですが，訪問看護は医療保険と介護保険から給付されます．ただし1人の利用者が利用できるのは1つの保険だけです．たとえば，介護保険の利用限度額の上限に達したので，介護保険で賄えない分を医療保険の訪問看護でカバーするということはできません（利用限度額をオーバーした分は，利用者の実費となり10割負担）．では，医療保険，介護保険はどう使い分けるのでしょう？

介護保険が優先される場合

介護保険の要支援・要介護認定を受けている人の場合，介護保険が優先になり，介護保険からの訪問看護を利用しなければなりません．

医療保険が優先される場合

介護保険の要支援・要介護認定を受けている人でも，特別訪問看護指示期間と厚生労働大臣が定める疾病等別表第7（p.11 参照）に該当する利用者は，医療保険の訪問看護を利用しなければなりません．

介護保険の訪問看護を利用している人に特別訪問看護指示が出た場合，指示期間中の訪問看護は医療保険を利用することになります．介護認定を受けていない人は，当然，医療保険の訪問看護になります．

介護保険

・介護保険の要支援・要介護認定を受けている．

・主治医が訪問看護の必要性を認めた利用者．
　→訪問看護指示書が発行されている．

> 注意！介護保険の第2号被保険者も疾患によっては，要支援・要介護認定を受けることができます！

医療保険

・主治医が訪問看護の必要性を認めた利用者．
　→訪問看護指示書が発行されている．

・要介護・要支援認定を受けていない利用者．

・厚生労働大臣が定める疾病等別表第7に該当する利用者．

・特別訪問看護指示期間の利用者．

> 注意！介護保険の被保険者でない0〜39歳の人は，必然的に医療保険の訪問看護利用になります！

訪問看護の診療報酬と介護報酬

変更　訪問看護は訪問看護ステーションだけでなく医療機関が行うこともできますが，本書では，訪問看護ステーションが行う訪問看護について解説します．

訪問看護ステーションが訪問看護を行った場合の報酬は，医療保険，介護保険で異なり，医療保険では「訪問看護療養費」，介護保険では「訪問看護費」という診療報酬名になります（表 5-1，2）．

医療保険の訪問看護療養費は，訪問看護基本療養費と訪問看護管理療養費があり，訪問看護基本療養費は（Ⅰ）（Ⅱ）（Ⅲ）に分かれます．（Ⅰ）は同一建物居住者以外の場合に，（Ⅱ）は同一建物居住者の場合に算定，（Ⅲ）は入院患者が退院後の在宅療養に備えて一時的に外泊した際に訪問看護を行った場合に算定します．2024 年の改定で訪問看護管理療養費の月 2 回目以降の訪問の場合が 1 と 2 に区分けされました．

医療保険は訪問する職種で，介護保険は職種，訪問時間で報酬額（単位）が異なります．

変更

表 5-2　訪問看護ステーションの介護報酬（保健師，看護師による場合）

訪問看護費（介護保険）	イ　訪問看護ステーションの場合	要介護者	要支援者
	(1) 20 分未満	314 単位	303 単位
	(2) 30 分未満	471 単位	451 単位
	(3) 30 分以上60 分未満	823 単位	794 単位
	(4) 60 分以上90 分未満	1,128 単位	1,090 単位

※准看護師の場合は「保健師・看護師による場合」の90％に相当する単位数を算定する．

表 5-1　訪問看護ステーションの診療報酬

訪問看護基本療養費（Ⅰ）（同一建物居住者以外，1 日につき）			
イ　保健師，助産師，看護師による場合（ハを除く）			
	(1) 週 3 日目まで		5,550 円／日
	(2) 週 4 日目以降		6,550 円／日
ロ　准看護師による場合			
	(1) 週 3 日目まで		5,050 円／日
	(2) 週 4 日目以降		6,050 円／日
ハ　悪性腫瘍の利用者に対する緩和ケア，褥瘡ケア，または人工肛門ケア，人工膀胱ケアにかかる専門の研修を受けた看護師による場合			1 万 2,850 円／日（月 1 回）
訪問看護基本療養費（Ⅱ）（同一建物居住者，1 日につき）			
イ　保健師，助産師，看護師による場合（ハを除く）			
(1) 同一日に 2 人	①週 3 日目まで		5,550 円／日
	②週 4 日目以降		6,550 円／日
(2) 同一日に 3 人以上	①週 3 日目まで		2,780 円／日
	②週 4 日目以降		3,280 円／日
ロ　准看護師による場合			
(1) 同一日に 2 人	①週 3 日目まで		5,050 円／日
	②週 4 日目以降		6,050 円／日
(2) 同一日に 3 人以上	①週 3 日目まで		2,530 円／日
	②週 4 日目以降		3,030 円／日
ハ　悪性腫瘍の利用者に対する緩和ケア，褥瘡ケア，または人工肛門ケア，人工膀胱ケアにかかる専門の研修を受けた看護師による場合			1 万 2,850 円／日（月 1 回）
訪問看護基本療養費（Ⅲ）			8,500 円

＋

訪問看護管理療養費（1 日につき）	
1　月の初日	
イ　機能強化型訪問看護管理療養費 1	1 万 3,230 円
ロ　機能強化型訪問看護管理療養費 2	1 万 0,030 円
ハ　機能強化型訪問看護管理療養費 3	8,700 円
ニ　イからハ以外の場合	7,670 円
2　月の 2 回目以降の訪問日	
(1) 訪問看護管理療養費 1	3,000 円

＜算定要件＞
訪問看護ステーションの利用者のうち，同一建物居住者の占める割合が 7 割未満であって，次のア，イに該当するもの
ア　厚生労働大臣が定める疾病等別表第 7 および別表第 8に該当する利用者に対する訪問看護について 4 人以上の実績を有すること．
イ　精神科訪問看護基本療養費を算定する利用者のうち，GAF 尺度による判定が 40 以下の利用者の数が月に 5人以上であること．

(2) 訪問看護管理療養費 2	2,500 円

＜算定要件＞
訪問看護ステーションの利用者のうち，同一建物居住者の占める割合が 7 割以上であること，または 7 割未満であっても上記ア，イのいずれにも該当しないもの

訪問看護の加算の種類

　医療保険，介護保険それぞれの訪問看護に加算があります．医療保険では訪問看護管理療養費の加算として14種類，介護保険では訪問看護費の加算として11種類あり，実施した看護内容に応じて算定します（図5-1，2）．

　なお，医療保険の訪問看護では，ターミナルケアは加算ではなく，訪問看護ターミナルケア療養費という診療報酬で算定します．

図 5-1　訪問看護ステーションの診療報酬と加算のイメージ（医療保険）

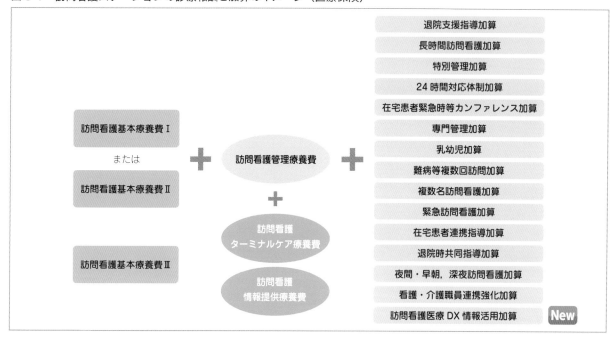

図 5-2　訪問看護ステーションの介護報酬と加算のイメージ（介護保険）

特別管理加算

　加算の対象となる「特別な管理」が必要な患者に対して，計画的な管理を行った場合に算定できる加算です．医療保険，介護保険の双方にあり，どちらも重症度の高いものとそれ以外の2種類に分かれ

ています（表5-3，4）．対象者は表記が若干違うものの，医療保険，介護保険ともに同じで，厚生労働大臣が定める状態等別表第8に該当している患者になります．

表5-3　特別管理加算（医療保険）

報酬額	重症度等の高い者　5,000円（月1回） 上記以外　　　　　2,500円（月1回）
主な算定要件	・特別な管理を必要とする利用者 ・患者またはその家族からの相談などに24時間対応できる体制が整備されていること
対象者	【重症度等の高い者】 変更 ・在宅麻薬等注射指導管理，在宅腫瘍化学療法注射指導管理，在宅強心剤持続投与指導管理，在宅気管切開患者指導管理を受けている状態 ・気管カニューレ，留置カテーテルを使用している状態（胃ろうも含まれる） 【上記以外】 ・在宅自己腹膜灌流指導管理を受けている状態 ・在宅酸素療法指導管理を受けている状態 ・在宅人工呼吸指導管理を受けている状態 ・人工肛門または人工膀胱を設置している状態 ・在宅患者訪問点滴注射管理指導料を算定している ・在宅血液透析始動管理を受けている状態 ・在宅中心静脈栄養法指導管理を受けている状態 ・在宅自己導尿指導管理を受けている状態 ・在宅持続陽圧呼吸療法指導管理を受けている状態 ・在宅肺高血圧症患者指導管理を受けている状態 ・真皮を越える褥瘡の状態

表5-4　特別管理加算（介護保険）

報酬額	（Ⅰ）500単位／月※ （Ⅱ）250単位／月※
主な算定要件	【主な算定要件】 ・特別な管理を必要とする利用者に対して訪問看護の実施に関する計画的な管理を行った場合に算定する． ・1人の利用者に対し，1ヵ所の事業所しか算定できない
対象者	【特別管理加算（Ⅰ）】 変更 ・在宅麻薬等注射指導管理，在宅腫瘍化学療法注射指導管理，在宅強心剤持続投与指導管理，在宅気管切開患者指導管理を受けている状態 ・気管カニューレ，留置カテーテルを使用している状態（経管栄養や中心静脈栄養も該当） 【特別管理加算（Ⅱ）】 ・在宅自己腹膜灌流指導管理を受けている状態 ・在宅酸素療法指導管理を受けている状態 ・在宅持続陽圧呼吸療法指導管理を受けている状態 ・在宅肺高血圧症患者指導管理を受けている状態 ・真皮を越える褥瘡の状態 ・点滴注射を週3日以上行う必要があると認められる状態（状態変化などで週3日以上実施できなければ算定不可） ・在宅血液透析指導管理を受けている状態 ・在宅中心静脈栄養法指導管理を受けている状態 ・在宅自己導尿指導管理を受けている状態 ・在宅自己疼痛管理指導管理を受けている状態 ・人工肛門または人工膀胱を設置している状態

特別管理加算の対象者は，「厚生労働大臣が定める状態等別表第8」に該当する患者でもあるといえるね．

※この報酬は介護保険の区分支給限度基準額の枠外のため，算定しても利用者の介護サービスの利用限度には影響しません．

変更 ## 緊急訪問看護加算（医療保険）

　利用者や家族の依頼や医師の指示で緊急訪問をした場合に算定できる，訪問看護基本療養費Ｉ，Ⅱの加算です（表5-5）．訪問看護基本療養費Ｉ，Ⅱともにハの場合は加算できません．看護師などが訪問看護・指導を行った場合に１日につき１回限り算定します．24時間対応できる体制を確保し，24時間連絡を受ける担当者氏名，電話番号などの情報を利用者に文書で提供するという算定要件があります．

　2024年の改定では，月14日までのイと月15日以降のロが新設されました．また，算定の要件にも緊急訪問を行った場合の日時や内容，対応状況を訪問看護記録書に記録することや，加算を算定する場合には，算定する理由を訪問看護療養明細書に記録するという項目が追加されました．

緊急時訪問看護加算（介護保険）

　利用者や家族からの電話などに常時対応ができ，緊急訪問の体制を整えている場合に月１回訪問看護費に加算し，１人の利用者に対し，１ヵ所の訪問看護事業所のみ算定できます（表5-6）．介護保険で緊急訪問となるとケアプラン外での訪問となるため，利用者の同意を得た上での訪問となりますが，利用者の区分支給限度基準額に余裕がある場合はケアプランを変更して訪問看護費が算定できます（余裕がない場合，利用者は実費負担になります）．１ヵ月以内の２回目以降の緊急時訪問については，夜間・早朝，深夜の訪問であれば，訪問看護費にその加算もできます．

表5-5　**緊急訪問看護加算（医療保険）**

変更		
報酬額	イ　月14日目まで　　2,650円 ロ　月15日目以降　　2,000円	
主な算定要件	・利用者や家族などの求めに応じて診療所または在宅療養支援病院の主治医の指示により緊急訪問を行った場合は，その日時，内容および対応状況を訪問看護記録書に記録すること． ・診療所または在宅療養支援病院が24時間往診および訪問看護により対応できる体制を確保し，その医療機関において24時間連絡を受ける医師または看護職員の氏名，連絡先電話番号など，担当日，緊急時の注意事項など，往診担当医および訪問看護担当者の氏名などについて文章で提供している利用者のみ算定できる ・緊急訪問看護加算を算定する場合には，算定する理由を，訪問看護療養費明細書に記録すること．	

表5-6　**緊急時訪問看護加算（介護保険）**

報酬額	574単位（月１回）※
主な算定条件	・利用者や家族などから電話などにより看護に関する意見を求められた場合に常時対応でき，ケアプラン外の緊急時訪問を必要に応じて行う場合に利用者の同意を得て算定する ・１ヵ月以内の２回目以降の緊急時訪問については夜間・早朝，深夜加算も併せて算定できる ・同月に定期巡回・随時対応型訪問介護看護，看護小規模多機能型居宅介護を利用した場合の緊急時訪問看護加算，同月に医療保険の訪問看護を利用した場合の24時間対応体制加算は算定できない ・１人の利用者に対し，１ヵ所の訪問看護事業所のみ算定できる

※この報酬は介護保険の区分支給限度基準額の枠外のため，算定しても利用者の介護サービスの利用限度には影響しません．

長時間訪問看護加算

介護保険の訪問看護は，20分未満，30分未満，30分以上60分未満，60分以上90分未満という実施時間によって報酬が異なります．医療保険の訪問看護の場合は実施時間によって報酬が変わることはありませんが，30分～90分を標準としています．しかし，医療保険・介護保険とも90分以上の訪問看護を実施した場合に算定できる報酬があります．

医療保険

15歳未満の超・準超重症児，厚生労働大臣が定める状態等別表第8，または特別訪問看護指示期間中は，週に1回算定できます．厚生労働大臣が定める疾病等別表第7では，算定できませんので注意して下さい．そして，15歳未満の超・準超重症児と15歳未満で厚生労働大臣が定める状態等別表第8に該当する利用者の場合は，週3回まで算定できます（表5-7）．

表5-7　長時間訪問看護加算（医療保険）

報酬額	5,200円
算定対象	90分を超える訪問看護を行った場合で，以下のいずれかの場合 ①15歳未満の超・準超重症児 ②厚生労働大臣が定める状態等別表第8に該当 ③特別訪問看護指示期間
利用可能回数	週1回 15歳未満の超・準超重症児，および15歳未満で厚生労働大臣が定める状態等別表第8に該当する場合は，週3回まで算定可能

超重症児（者），準超重症児（者）の判定基準

以下の各項目に規定する状態が6ヵ月以上継続する場合[1]に，それぞれのスコアを合算する

1. 運動機能：座位まで（共通項目）

2. 判定スコア

	スコア		スコア
①レスピレーター管理[2]	=10	⑨腸ろう・腸管栄養[3]	=8
②気管内挿管，気管切開	=8	接続注入ポンプ使用（腸ろう，腸管栄養時）	=3
③鼻咽頭エアウェイ	=5	⑩手術・服薬にても改善しない過緊張で	
④O₂吸入または，SpO₂90%以下の状態が10%以上	=5	発汗による更衣と姿勢修正を3回／日以上	=3
⑤1回／時間以上の頻回の吸引	=8	⑪継続する透析（腹膜灌流を含む）	=10
6回／日以上の頻回の吸引	=3	⑫定期導尿（3／日以上）[4]	=5
⑥ネブライザー6回／日以上または継続使用	=3	⑬人工肛門	=5
⑦IVH	=10	⑭体位交換6回／日以上	=3
⑧経口摂取（全介助）[3]	=3		
経管（経鼻，胃ろう含む）[3]	=5		

運動機能が座位までであり，かつ，判定スコアの合計が25点以上の場合を超重症児（者），10点以上25点未満の場合を準超重症児（者）

※1　新生児集中治療室を退室した児であって当該治療室での状態が引き続き継続する児については，当該状態が1ヵ月以上継続する場合とする．ただし，新生児集中治療室を退室した後の症状増悪，または新たな疾患の発生については，その後の状態が6ヵ月以上継続する場合とする．

※2　毎日行う機械的気道加圧を要するカフマシン・NIPPV・CPAPなどは，レスピレーター管理に含む．

※3　⑧⑨は経口摂取，経管，腸ろう・腸管栄養のいずれかを選択．

※4　人工膀胱を含む．

介護保険

　介護保険の場合は，「厚生労働大臣が定める状態等別表第8」に該当し，ケアプランに1時間30分以上の訪問看護が組み込まれていれば算定できます（表5-8）．

表5-8　長時間訪問看護加算（介護保険）

算定単位	300単位/回
算定要件と対象	算定要件：1時間30分未満の訪問看護を実施し，引き続いて訪問看護を行い，通算1時間30分を超える場合 対象：厚生労働大臣が定める状態等別表第8に該当する利用者
利用可能回数	ケアプランに組み込まれていたら算定可能

複数名訪問看護加算

　2名以上で訪問看護を行った場合も加算があります．複数名で訪問看護を行うには，医療保険・介護保険ともに利用者か家族の同意が必要ですが，算定の要件は医療保険・介護保険で異なりますので注意が必要です．

医療保険

　どの職種が同行するか？で報酬が異なります．同行者が看護師や准看護師の場合は週1回しか算定できませんが，その他職員の場合は週3回までで算定できます．2人目を「看護師」ではなく「その他職員」として換算するなら，看護師2名で週3回訪問も可能です．（表5-9）．

表5-9　複数名訪問看護加算（医療保険）

	職種	報酬額		主な算定要件
イ	看護職員＋看護師等	(1) 同一建物内1人または2人	4,500円	・利用者または家族の同意を得る必要がある ・対象者は以下のいずれかに該当すること ①厚生労働大臣が定める疾病等別表第7 ②厚生労働大臣が定める状態等別表第8 ③特別訪問看護指示期間 ④利用者の身体的理由により1人の看護師等による訪問看護が困難と認められる場合（その他職員の場合のみ） ⑤暴力行為，著しい迷惑行為，器物破損行為などが認められる場合 ⑥④または⑤に準ずると認められる場合（その他職員の場合のみ）
		(2) 同一建物内3人以上	4,000円	
ロ	看護職員＋准看護師	(1) 同一建物内1人または2人	3,800円	
		(2) 同一建物内3人以上	3,400円	
ハ	看護職員＋その他職員　ニ以外	(1) 同一建物内1人または2人	3,000円	
		(2) 同一建物内3人以上	2,700円	
ニ	看護職員＋その他職員　別表第7，別表第8，特別訪問看護指示期間の者			
	1日に1回	(1) 同一建物内1人または2人	3,000円	
		(2) 同一建物内3人以上	2,700円	
	1日に2回	(1) 同一建物内1人または2人	6,000円	
		(2) 同一建物内3人以上	5,400円	
	1日に3回以上	(1) 同一建物内1人または2人	10,000円	
		(2) 同一建物内3人以上	9,000円	

介護保険

　介護保険でも同行する職種によっても報酬額が異なりますが，訪問時間によっても異なります．ケアプランに入っていて，要件を満たせば算定回数に上限はありません（表5-10）．

表 5-10　複数名訪問看護加算（介護保険）

算定できる報酬	報酬単位	主な算定要件
複数名訪問加算	複数名訪問加算（I） （複数の看護師等による場合） ① 30 分未満の場合　　254 単位 / 回 ② 30 分以上の場合　　402 単位 / 回 複数名訪問加算（II） （看護師と看護補助者による場合） ① 30 分未満の場合　　201 単位 / 回 ② 30 分以上の場合　　317 単位 / 回	・利用者または家族の同意を得る必要がある ・対象者は以下のいずれかに該当すること ①利用者の身体的理由により１人の看護師等による訪問看護が困難と認められる場合 ②暴力行為，著しい迷惑行為，器物破損行為などが認められる場合 ③①または②に準ずると認められる場合

頼もしい！ 医療保険の訪問看護

　介護保険の訪問看護は，利用者のケアプランに組み込まれるのであれば，週に何日でも１日何回でも，何ヵ所（複数事業所）の訪問看護ステーションでも利用可能です．それにひきかえ，医療保険の訪問看護は週に３日まで，１日に１回のみ，利用できる訪問看護ステーションは１ヵ所（１事業所）のみという基本原則があります．介護保険に比べると利用制限の多い医療保険の訪問看護ですが，特別訪問看護指示期間，厚生労働大臣が定める疾病等別表第7，介護認定を受けていない利用者が厚生労働大臣が定める状態等別表第8に該当すると原則が適用されなくなります．

訪問看護が医療保険になる条件３つ
- -
①介護保険の要介護認定を受けていない人
②厚生労働大臣が定める疾病等別表第7（p.11 参照）に該当する人
③特別訪問看護指示期間

> この３つを「訪問看護が医療保険になる３つの呪文」として覚えよう！

特別訪問看護指示が出せるのは，急性増悪時や退院直後，終末期など，手厚い看護が必要なときです．そして，厚生労働大臣が定める疾病等別表第7や厚生労働大臣が定める状態等別表第8に該当する人は，かなり重症な利用者になります．

このように重篤な状態のために頻回な訪問看護が必要な利用者は，原則に縛られずに，必要なだけ訪問看護が利用できます（表5-11）．

また，要支援・要介護認定を受けていても，表5-11の①，②の場合に訪問看護が医療保険になるのは，頻回な訪問看護の利用で介護保険の利用限度枠を圧迫しないためと考えられます．安定している利用者は介護保険の訪問看護を使い，急性増悪時や重篤な利用者の場合は医療保険の訪問看護をしっかり利用できる制度設計になっているのです．

なお，要支援・要介護の人が，表5-11の①②に該当せず，③厚生労働大臣が定める状態等別表第8に該当しているだけでは，訪問看護は介護保険のままですから，注意してください．

医療保険の訪問看護を上手に活用しよう！

「医療保険の訪問看護をうまく活用できるクリニックや訪問看護ステーションは在宅医療のレベルが高い」と私は講演会などでよく話しています．重度の褥瘡がある場合や急な状態悪化，退院直後や終末期など，手厚い看護が必要な場合に医療保険の訪問看護を活用できれば，利用者は入院することなく安心して自宅療養を続けられます．また，訪問看護が医療保険から給付されると，介護保険のサービスを介護系に集中して利用できるようになり，家族の介護負担も軽減できます．そういった観点から，医療保険の訪問看護を上手に使っているクリニックや医師は患者マネジメントを十分行えていると考えられ，また医療保険の訪問看護が多い訪問看護ステーションは重症の利用者をよく看護できると考えられるのです．

「医療保険の訪問看護は在宅医療の鍵だ」と私は考えています．訪問看護の制度をよく理解して，医療保険の訪問看護を上手に活用してください．

表5-11 医療保険の訪問看護

医療保険の訪問看護 利用原則
・週3日までの訪問 ・訪問は1日1回のみ ・1ヵ所の訪問看護ステーションのみ利用可

医療保険の訪問看護 利用原則の3つの例外		
①特別訪問看護指示期間	②厚生労働省大臣が定める疾病等別表第7	②厚生労働省大臣が定める状態等別表第8（介護認定を受けていない患者の場合）
・週4日以上の訪問可能 ・1日2回以上の訪問可能 ・2ヵ所の訪問看護ステーションの利用が可能	・週4日以上の訪問可能 ・1日2回以上の訪問可能 ・2ヵ所または3ヵ所※の訪問看護ステーションの利用が可能（※毎日の訪問が必要な場合は3ヵ所の利用が可能になる）	

訪問看護指示書作成のルール

医療保険であれ，介護保険であれ，訪問看護を利用するには，主治医の指示が必要です．また，訪問看護を提供するのは訪問看護ステーションと医療機関ですが，どこが提供するのかによって，作成する書類が異なり，書類の種類によって指示書作成日にルールがあります．

訪問看護ステーションに対する指示書

指示書は表 5-12 のとおり．

表 5-12　訪問看護指示書（訪問看護ステーションに対して）

	訪問看護指示書	特別訪問看護指示書
主治医が算定できる診療報酬	訪問看護指示料	特別訪問看護指示加算
指示書作成日	診療日でなくてもよい	診療日でなければならない
有効期間	指示書作成日と有効期間の開始日が同じで，有効期間は 6 ヵ月以内（1 ヵ月の指示を行う場合は有効期間の記載は不要）	指示書の作成日と有効期間の開始日が同じ．有効期間は 14 日以内

医療機関の看護師が訪問看護を行う場合

他の医療機関の看護師が行う場合と自院の看護師が行う場合で指示の方法が異なります．

①他の医療機関の看護師に指示を出す場合

他の医療機関に訪問看護を依頼する場合は，診療情報提供書を作成します．他の医療機関の医師に利用者の情報を提供し，その医師の指示の下で看護師に訪問してもらうというイメージです（表 5-13）．

表 5-13　訪問看護指示（他の医療機関の看護師に対して）

主治医が算定できる診療報酬	診療情報提供料Ⅰ
作成日	診療情報提供書の作成日が診療日でなくてもよいただし，診療日から 2 週間以内に情報提供する
有効期間	医療保険・介護保険ともに医師の診療日から 1 ヵ月以内

②自院の看護師に指示を出す場合

自院（同一医療機関）の看護師が訪問看護を行う場合，指示内容をカルテ記入するだけで構いません．ただし，指示料は算定できません（表5-14）．

表 5-14　訪問看護指示（自院の看護師に対して）

主治医が算定できる診療報酬	なし
記載日	診療日にカルテに訪問看護の指示内容を記載する
有効期間	医療保険・介護保険ともに指示を行った医師の診療日から1ヵ月以内

特別訪問看護指示書

在宅療養が継続できるかどうかは，患者が不安なく自宅で過ごせるかどうかにかかっています．不安を減らす方法の1つに，利用者や家族が必要とするときには必要なだけ診療や看護が訪問することがあります．しかし，厚生労働大臣が定める疾病等別表第7に該当する利用者でない限り，医療保険の訪問看護は週3日しか訪問できません．介護保険の訪問看護なら，ケアプランに組み込めば何回でも訪問できるとはいえ，利用限度額が決まっているために制限があります．

そんなときに利用したいのが，特別訪問看護指示です．前項で説明した通り，特別訪問看護指示期間は，介護保険の訪問看護が医療保険に切り替わるだけでなく，医療保険の訪問看護の利用原則もなくなります．また，訪問看護が医療保険に切り替わるとグループホームや特定施設入居者生活介護の指定を受けている有料老人ホームでも訪問看護が利用できるようになります（p.84 参照）．

特別訪問看護指示書は，医療保険の訪問看護を利用範囲を拡大する「魔法の手紙」と認識して，患者マネジメントに活かしてください．

●特別訪問看護指示書

急性増悪時を含む，終末期，退院直後などで，主治医が週4日以上の頻回な訪問看護を一時的に行う必要があると認めた場合に利用者の同意を得て発行．

●有効期間

指示を出した日から14日間．

●発行回数

原則月1回．ただし，気管カニューレを装着している利用者と真皮を越える褥瘡患者の場合は，月2回発行できる．

〈**特別訪問看護指示期間中に可能なこと**〉

・訪問看護が医療保険になる
・週4回以上の訪問看護
・1日に複数回の訪問看護
・2ヵ所の訪問看護ステーションの併用
・複数名の訪問看護
・長時間の訪問看護
・グループホーム，特定施設への訪問看護

特別訪問看護指示書を月2回算定できるのは，
①　気管カニューレを装着している利用者
②　真皮を越える褥瘡患者
必要であれば1月最大28日間特例が受けられます．

訪問看護指示書の作成日は診療日でなくてもOKですが，特別訪問看護指示書は診療日でなければなりません．

訪問看護で点滴を行う場合の指示書作成ルール

医療保険，介護保険の訪問看護ともに，医師が訪問看護師に指示を出して，在宅患者に点滴を行うことが可能です．その際，医師が点滴指示書を交付して訪問看護師に依頼すると，医療機関側は在宅患者訪問点滴注射管理指導料が算定できます．ただ，この指導料は，点滴指示の日数や点滴注射か否かによって算定できない場合がありますので，算定ルールをしっかりと押さえておきましょう（図5-3）.

在宅患者訪問点滴注射管理指導料　100点

・主治医が診療に基づき，1週間のうち3日以上の注射点滴が必要と判断.
・看護師または准看護師に対して，点滴注射の際に留意すべき事項などを記載した文章を交付し，必要な管理指導を行うこと.
・1週間のうち3日以上看護師，准看護師が患家を訪問して点滴注射を実施した場合，3日目に算定.

・看護師，准看護師による点滴注射が対象であり，皮下注射や筋肉注射，医師による点滴注射では算定できない.
・看護小規模多機能型居宅介護の通所サービス利用中に行う点滴注射は対象外.

図5-3　自宅患者訪問点滴注射管理指導料の算定ルール

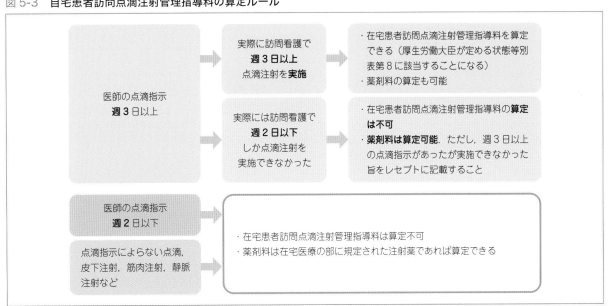

施設入居者も訪問看護は利用できるか？

　施設に入居している方でも，訪問看護を利用できる場合があります．訪問看護を受けられる場所は下記の表の通りです（表 5-15）．

　自宅は介護保険であっても，医療保険であっても訪問看護が利用できます．また，<u>特定施設入居者生活介護の指定を受けていないサービス付き高齢者住宅も自宅と同じように利用できます</u>．

　それ以外の施設では施設サービスに介護保険を利用しているので，原則として看護サービスは施設が行うことになっているため，介護保険の訪問看護は利用できません．

　ただし，医療保険の訪問看護であれば施設入居者であっても利用できる場合があります．要介護認定を受けている人でも厚生労働大臣が定める疾病等別表第 7 に該当したり，特別訪問看護指示期間は訪問看護が医療保険になるので利用できるわけです．

　とはいえ，小規模多機能型居宅介護は少し複雑です．小規模多機能型居宅介護では宿泊時にのみ利用できるのですが，利用者に医療保険の訪問看護を利用できる要件が揃っていても，その利用者が宿泊サービス利用開始前 30 日以内に自宅で訪問看護を利用していなければ利用できません．さらに，利用限度もあり，開始後 30 日まで，そして日中は利用できないことになっています．

　また，特別養護老人ホームと短期入居者生活介護では，末期の悪性腫瘍の利用者に限って医療保険の訪問看護が利用できます．短期入居者生活介護に関しては，小規模多機能型居宅介護同様にサービス利用前 30 日以内に利用者の自宅で訪問看護を利用していた方に限られます．

表 5-15　**訪問看護が受けられる居住場所と条件**

居住場所	訪問看護（医療保険）	訪問看護（介護保険）
自宅，サービス付き高齢者住宅（特定施設以外）有料老人ホーム（特定施設以外）	厚生労働大臣が定める疾病等別表第 7 に該当する利用者 特別訪問看護指示期間の利用者 要介護認定を受けていない利用者	要介護認定者
認知症対応型共同生活介護（グループホーム），特定施設	厚生労働大臣が定める疾病等別表第 7 に該当する利用者 特別訪問看護指示期間の利用者	×
小規模多機能型居宅介護 看護小規模多機能型居宅介護（宿泊時）	厚生労働大臣が定める疾病等別表第 7 に該当する利用者，特別訪問看護指示期間の利用者（いずれもサービス利用前 30 日以内に患家で医療保険の訪問看護を実施している利用者で利用開始後 30 日まで利用可能） ※図 4-2 p.55 参照　日中の訪問看護は不可	×
特別養護老人ホーム	末期の悪性腫瘍の利用者	×
短期入所生活介護	末期の悪性腫瘍の利用者 （サービス利用前 30 日以内に患家で訪問看護を実施している場合）	×

特定施設入居者・認知症対応型共同生活介護の入居者で，訪問看護を利用できる 2 つの条件．
①厚生労働大臣が定める疾病等別表第 7 に該当する場合
②特別訪問看護指示期間の利用者の場合

同法人の医療機関と訪問看護ステーションの同日算定について

医療保険の訪問看護の場合，同じ医療法人の医療機関と訪問看護ステーションが，同じ日，同じ患者を訪問する際には注意が必要です．具体的にいうと，患者Aに対して同じ日に医療機関から訪問診療，訪問看護ステーションから医療保険の訪問看護を行った場合，訪問診療料と訪問看護療養費の両方は算定できず，どちらか一方だけしか算定できないのです．

医療機関と訪問看護ステーションが同じ医療法人などの関係にあることを，診療報酬上では「特別の関係」（表5-16）にあるといいます．

特別の関係にある医療機関の医師から訪問看護指示書の交付を受けた患者について，訪問看護ステーションが訪問看護療養費を算定した日には，医療機関は往診料や訪問診療料を算定することができません．しかし，例外があり，患者の病状急変などによる往診や退院後1ヵ月以内の患者には同一日でも算定が可能です．

なお，特別の関係にある医療機関と訪問看護ステーションであっても，介護保険の訪問看護では，訪問時間が異なるのであれば同日算定の制限はありません（図5-4）．

表5-16　「特別の関係」とみなされる例

①開設者が同一の場合
②代表者が同一の場合
③各代表者が親族などの場合
④理事・監事・評議員その他の役員などのうち，一方の役員などの10分の3超が親族などの場合
⑤①～④に準ずる場合（人事，資金などを通じて，経営方針に重要な影響を与えることができる場合）

図5-4　特別の関係にある医療機関と訪問看護ステーションの同日算定

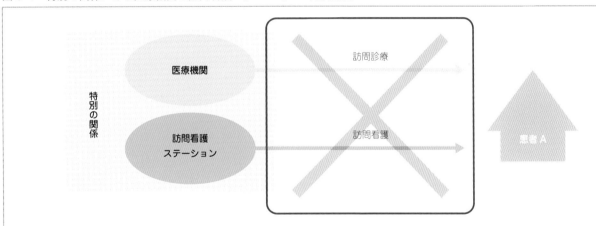

原則　特別の関係にある医療機関と訪問看護ステーションの場合，同一患者への同一日の訪問では，どちらか一方しか算定できません！（医療保険の訪問看護の場合のみ）

例外　特別の関係でも同日算定が可能な2つのケース

①訪問看護後の患者の病状急変などによる往診
②退院後1ヵ月以内の患者
③在宅患者訪問褥瘡管理指導料を算定する場合（在宅患者訪問診療料，在宅患者訪問栄養食事指導料に限る）

訪問看護早わかりチャートの使い方をマスターしよう！

このチャート図を使うと，訪問看護の利用法が簡単にわかります．

医療保険利用の場合

訪問看護が医療保険になる3つの呪文

① 厚生労働大臣が定める疾病等別表第7

② 特別訪問看護指示期間

③ 介護保険の認定を受けていない場合

厚生労働大臣が定める状態等別表第8

・1日に複数回の訪問が可能
・毎日の訪問が可能
・2ヵ所のステーションの利用が可能．さらに「疾病等別表第7」と「状態等別表第8」では毎日必要な場合，3ヵ所まで可

医療保険を利用できるか？はこの3つの条件に当てはまっているかを確認する

要注意！

介護保険の認定を受けていない人（医療保険の訪問看護しか利用できない人）が，厚生労働大臣が定める状態等別表第8に該当すると，「医療保険の訪問看護の3つの原則に縛られない」という特例が受けられます．褥瘡治療や点滴施行といった場合で該当するので，患者の状態が変化した際に見逃さないようにしましょう！

厚生労働大臣の定める状態等別表第8ではない

医療保険の訪問看護の3つの原則
・1日1回
・週に3日
・1ヵ所の訪問看護ステーション

介護保険利用の場合

介護保険の訪問看護
要介護認定を受けている人はここ
ただし，①②のときは医療保険になる

ケアプランに盛り込めば算定制限なし

読み解きドリル

では，訪問看護早わかりチャートを利用し，次のケースで利用できる訪問看護サービスを考えてみましょう．

問題 1

- ① 年齢　　70歳
- ② 主病名　脳梗塞後遺症
- ③ ADL　　要介護4
- ④ 医療処置　なし
- ⑤ 居住場所　自宅

答1

訪問看護は介護保険を利用．
利用回数はケアプランに入れば，1日に何回でも，週に何回でも利用可能．
利用できる訪問看護ステーションは，ケアプランに入れば何ヵ所でも利用可能．

問題 2

- ① 年齢　　40歳
- ② 主病名　脳性麻痺
- ③ ADL　　一部介助必要
- ④ 医療処置　なし
- ⑤ 居住場所　自宅

答2

訪問看護は医療保険を利用．
利用回数は，1日1回，週3日まで．
利用できる訪問看護ステーションは1ヵ所．

問題 3

- ① 年齢　　50歳
- ② 主病名　パーキンソン病ヤールⅢ
- ③ ADL　　日常動作に介助が必要
- ④ 医療処置　なし
- ⑤ 居住場所　自宅

答3

主病名が「第2号被保険者が介護保険の給付対象となる特定疾病」に該当するため，要介護認定が出れば介護保険を利用できます．しかし！主病名は同時に厚生労働大臣が定める疾病等別表第7にも該当するため，訪問看護は医療保険を利用します．
訪問回数は，1日複数回，週何日でも利用可能←厚生労働大臣が定める疾病等別表第7にも該当するため
利用できる訪問看護ステーションは2ヵ所，毎日の訪問が必要な場合は3ヵ所←厚生労働大臣が定める疾病等別表第7にも該当するため．

このように主病名によっては，医療保険の訪問看護利用が拡大されます．

問題 4

- ① 年齢　　80歳
- ② 主病名　末期がん
- ③ ADL　　要介護3
- ④ 医療処置　尿バルーン留置
- ⑤ 居住場所　特定施設

答4

主病名が厚生労働大臣が定める疾病等別表第7に該当するため，訪問看護は医療保険を利用します．
自宅ではなく，特定施設に入居していますが，訪問看護は医療保険のため利用可能です．
訪問回数は，1日複数回，週何日でも利用可能．
利用できる訪問看護ステーションは2ヵ所，毎日の訪問が必要な場合は3ヵ所．

章 末 問 題

▶答えは◯か✕で答えてください

問 5-1

医療保険の訪問看護の原則は，週3日以下の訪問，1日1回の訪問，利用できる訪問看護ステーションは1ヵ所である．

問 5-2

訪問看護を実施するには医師の訪問看護指示が必要だが，患者の同意は得なくてもよい．

問 5-3

訪問看護は原則として医療保険より介護保険の方が優先される．

問 5-4

「厚生労働大臣が定める疾病等別表第7」に該当すれば，訪問看護は介護保険ではなく医療保険が優先される．

問 5-5

「厚生労働大臣が定める状態等別表第8」では，訪問看護は介護保険ではなく医療保険が優先して適用される．

問 5-6

「厚生労働大臣が定める疾病等別表第7」に該当すれば，1日に複数回の訪問看護が可能である．

問 5-7

「厚生労働大臣が定める疾病等別表第7」に該当し，90分以上の訪問看護が訪問看護計画に組み込まれていれば長時間訪問看護加算を算定できる．

問 5-8

「厚生労働大臣が定める状態等別表第8」であれば，医療保険も介護保険も長時間訪問看護加算が算定できる．

問 5-9

「厚生労働大臣が定める疾病等別表第7」，「厚生労働大臣が定める状態等別表第8」に該当する者は，週4日以上の訪問看護が可能になる．

▶解答&解説はp.145, 146

問 5-10

「厚生労働大臣が定める疾病等別表第7」,「厚生労働大臣が定める状態等別表第8」に該当する者は,医療保険の複数名訪問看護が行える.

問 5-11

複数名での訪問看護は,医療保険,介護保険ともに利用者か家族の同意は必要ない.

問 5-12

介護認定を受けている者で,「厚生労働大臣が定める状態等別表第8」では,訪問看護は医療保険が適用される.

問 5-13

医療保険の訪問看護において,1日に複数回,毎日の訪問,2ヵ所の訪問看護ステーションの併用が可能な利用者は,「厚生労働大臣が定める疾病等別表第7」と急性増悪時の利用者のみである.

問 5-14

「厚生労働大臣が定める状態等別表第8」に該当しても,1日に複数回の訪問看護は行えない.

問 5-15

15歳未満の「厚生労働大臣が定める状態等別表第8」に該当する者は,毎日の訪問看護が必要であれば2ヵ所の訪問看護ステーションの利用ができる.

問 5-16

利用者の身体的理由により1人の看護師等による訪問看護が困難であると認められる場合は,介護保険でも医療保険でも,複数名訪問看護加算の算定が可能である.

問 5-17

介護保険の訪問看護は,ケアプランに入れば,週に何回でも,1日に何回でも,複数の訪問看護ステーションからでも利用できる.

問 5-18

訪問看護は,訪問看護指示書の交付がない場合は,訪問看護計画書を作成して,暫定的に開始することができる.

問 5-19

主治医が訪問看護ステーションに交付する指示書には,「訪問看護指示書」,「特別訪問看護指示書」,「在宅患者訪問点滴注射指示書」の3種類がある.

▶解答&解説はp.145, 146

問 5-20

特別訪問看護指示書は，急性増悪期，終末期，退院直後などで主治医が週4日以上の頻回な訪問看護を一時的に行う必要があると認めた場合に，利用者の同意を得て発行するものである．

問 5-21

訪問看護指示書は，作成日が診療日でなければならない．

問 5-22

特別訪問看護指示書の作成日は，診療日でなくてもよい．

問 5-23

特別訪問看護指示の指示日は，診療した日である必要があり，指示期間は14日以内に限られる．

問 5-24

特別訪問看護指示書は，原則として月に1回しか発行できないが，気管カニューレを装着している場合と人工呼吸器を装着している場合は，月に2回発行できる．

問 5-25

特別訪問看護指示期間では，訪問看護が毎日必要な場合，3ヵ所の訪問看護ステーションからの提供が可能である．

問 5-26

主治医が訪問看護を指示する方法は，訪問看護ステーションには訪問看護指示書を交付して行い，他の医療機関には診療情報提供書を発行する．

問 5-27

自院の看護師に対して看護の指示を行う場合，医師は訪問看護指示書を交付する．

問 5-28

自院の看護師に対する訪問看護指示の有効期間は3ヵ月である．

問 5-29

他の医療機関に訪問看護を指示した場合の有効期間は1ヵ月である．

問 5-30

訪問看護ステーションに対する訪問看護指示の有効期間は最大3ヵ月以内である．

▶解答&解説はp.145, 146

問 5-31

在宅患者訪問点滴注射指導管理料は，医療保険の訪問看護で点滴注射を実施した場合のみ算定が可能である．

問 5-32

在宅患者訪問点滴注射管理指導料は，主治医から週3日以上の点滴指示があったが，結果的に患者の入院や軽快などで週2日の実施にとどまった場合でも，薬剤料の算定も，同指導料の算定も可能である．

問 5-33

特別養護老人ホームで訪問看護を受けられるのは，末期の悪性腫瘍の患者のみである．

問 5-34

「特別の関係」にある医療機関と訪問看護ステーションでは，例外なく同一日でも訪問診療と訪問看護の診療報酬を算定できない．

問 5-35

訪問看護には，同一建物居住者の概念はない．

問 5-36

訪問看護ステーションの訪問看護療養費には，訪問看護基本療養費と訪問看護管理療養費がある．

問 5-37

介護保険の訪問看護費は，要支援者と要介護者で区分されている．

問 5-38

訪問看護は，医療保険も介護保険も，訪問する職種が看護師か准看護師かで報酬が異なる．

問 5-39

特定施設の入居者に対しては，介護保険の訪問看護費を算定することはできない．

問 5-40

在宅患者訪問点滴注射管理指導料の算定対象となる注射は，点滴のみである．

問 5-41

認知症高齢者グループホームや特定施設に訪問看護が入ることができるのは，「厚生労働大臣が定める疾病等別表第7」に該当する場合に限られる．

▶解答&解説はp.145, 146

問 5-42

短期入所生活介護で医療保険の訪問看護を提供できるのは，「厚生労働大臣が定める疾病等別表第7」に該当する利用者に限られる．

問 5-43

特別養護老人ホームの入所者への訪問看護は，末期の悪性腫瘍と死亡日から遡って30日以内の患者に限り算定できる．

問 5-44

認知症高齢者グループホームや特定施設で訪問看護が実施できるのは，「厚生労働大臣が定める疾病等別表第7」の場合と特別訪問看護指示期間のみである．

問 5-45

小規模多機能型居宅介護では，宿泊サービス利用日の日中に行った訪問看護は算定できない．

▶解答＆解説はp.145, 146

 ちょっと **Break!** 　　**本人への告知**

　現在の日本の医療ではいまだ，がん患者の半分以上の方がまともに告知されておらず，非がんの方も死に向き合いきれず，点滴や注入などを亡くなるまで行う「治す治療」が残念ながら行われています．死への意識改革が必要ですが，医療者が向き合わなければ，国民や患者も向き合えません．では，どうすれば死に向き合えるのでしょうか？

　あとどれくらい生きられるのか（いわゆる予後）を具体的な期間を持って指し示す必要はありません．もう病気が治らないこと，そして，いつか亡くなること，限られた命であることを理解すればご本人は自然に死に向き合い，亡くなるまでどう生きようかと考えるようになると思うのです．告知しないということは本人がどう生きるかを考えるチャンスを奪うことにもなり得ます．実際，死に向き合ってはじめて「亡くなるまでをど

う生きるか」を考えられるようになる方も多いのです．亡くなるまで治し続ける医療が続いていたら，やりたいことも出てきません．一人一人にとって最善は違うと思いますが，かわいそうだから，ショックを受けるからという優しさから，その機会が与えられずにいることが，果たして本当の意味で本人の幸せにつながるのでしょうか．

　死と向き合うことは，本人にとっても家族にとってもつらいことですが，周りの者があれこれ推察するよりも，本人が望む「生き終え方」を本人と話し合うことが大切ではないかと考えます．

「本人はどう思っているのか？」を本人に聞いてみる方が，残された家族の後悔も少ないと思います．

第 **6** 章

高難度 !?
訪問リハビリテーションを
攻略しよう！

第**6**章

高難度⁉ 訪問リハビリテーションを攻略しよう！

ここで
学ぶこと

▶ 訪問看護ステーションの理学療法士などにより行われる訪問リハビリと, 医療機関の理学療法士などにより行われる訪問リハビリ制度の違い

▶ 訪問看護ステーションからの訪問リハビリを行う場合の看護師の役割

▶ 主治医が他医療機関の理学療法士などに訪問リハビリを依頼する際に気をつけること

訪問リハビリは提供主体と利用する保険の種類を要確認

制度のなかでも, 特に複雑なのが訪問リハビリテーションです. 訪問リハビリテーションは提供主体が訪問看護ステーションなのか, 医療機関なのかで大きく異なります. まずは, どこから行われるのか, 利用する保険は医療保険なのか介護保険なのかをしっかりと区別しましょう（図 6-1）.

診療報酬名で「訪問リハビリテーション」といえば, 医療機関からの訪問リハビリを指しますが, ここでは訪問看護ステーションと医療機関に属する理学療法士・作業療法士・言語聴覚士が患家で行うリハビリを総称して,「訪問リハビリテーション」または「訪問リハビリ」と呼びます.

図 6-1　訪問リハビリテーションの仕組み

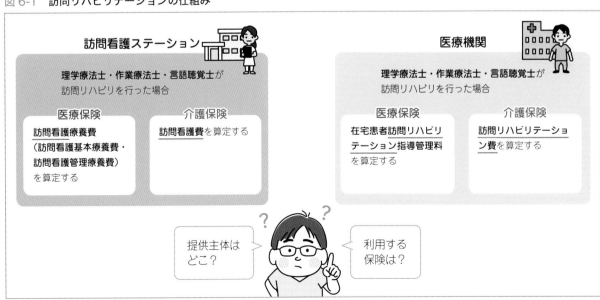

訪問看護ステーションから訪問リハビリを行う場合

訪問看護ステーションのリハビリは訪問看護とルールはほぼ同じ

訪問看護ステーションから行われる訪問リハビリの基本的なルールは訪問看護と同じです（図6-2）.

介護保険の要介護認定を受けている人は，介護保険からの給付が優先されます.

ただし，利用者が「訪問看護が医療保険になる3つの呪文」に該当する場合は医療保険からの給付になります. 医療保険の場合の利用原則も，原則が適用されない3つの条件も同じです.

しかし，介護保険には利用制限があり，1回20分とし，週6回までに限られていますので注意してください.

なお，訪問看護ステーションから訪問リハビリを行う場合にも，主治医の指示書が必要で，そのルールも訪問看護と同じです（p.81参照）.

・介護保険優先.
・訪問看護が医療保険になる3つの呪文 ①介護保険の要介護認定を受けていない人 ②厚生労働大臣が定める疾病等別表第7に該当する人 ③特別訪問看護指示期間　の内，どれか1つにでも該当する場合は医療保険からの給付が優先される（p.79参照）.
・主治医による訪問看護指示書が必要.
・医療保険の場合の利用原則も同じ.
　週3日，1日1回1ヵ所（1事業）の訪問看護ステーションのみ利用可能. ただし，厚生労働大臣が定める疾病等別表第7，要介護認定を受けていない利用者で厚生労働大臣が定める状態等別表第8に該当する者，特別訪問看護指示期間は，利用原則は適用されない.

> **ここだけ違う！**
> 訪問看護と違うのは，リハビリでは介護保険の場合の利用回数が，週6回と制限があることです.

図 6-2　訪問看護ステーションにおける週の利用回数制限とサービス提供できるステーション数の制限

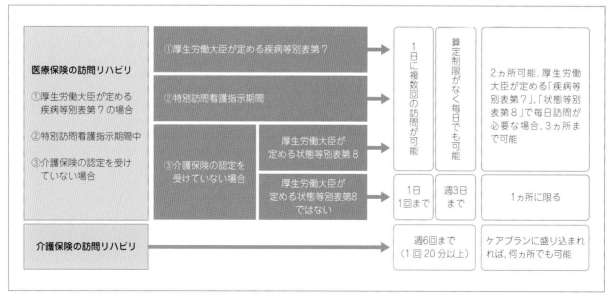

訪問看護ステーションの訪問リハビリは，ここに注意！

看護師との連携が必要

　訪問看護ステーションの理学療法士などが訪問リハビリを行う場合，同じ事業所の看護職員と共同で行わなければならないことがあります．これは医療保険・介護保険共通の要件で，「看護職員の代わりに理学療法士などが訪問してリハビリを行っている」ことを利用者に説明し，同意を得ること（図6-3 ❶），訪問看護計画書および訪問看護報告書を看護職員と連携して作成すること（図6-3 ❷），定期的に看護職員が訪問して，リハビリの評価を行うこと（図6-3 ❸）の3つです．

　看護職員の訪問についての詳しい要件については表6-1を参照してください．

図 6-3　同じ事業所の看護職員との連携

❶「看護職員の代わりに理学療法士などが訪問すること」を利用者に同意を得る

理学療法士　　看護職
など

看護職に代わってリハビリ職がくることにご同意をお願いします！

❷訪問看護計画書・訪問看護報告書を看護職員と連携して作成する

❸看護職による定期的な訪問で評価を行う

連携

看護職 → 定期訪問 → 利用者宅

表 6-1　看護職員の定期的な訪問とは

医療保険	介護保険
・利用者の心身状態や家族などの環境の変化があった場合 ・主治医から交付される訪問看護指示書の内容に変更があった場合 ・定期的な訪問は同じ事業所の看護職員であること	・初回訪問は，理学療法士等と同事業所の看護職員が行うことが原則 ・（訪問看護指示の有効期限が6ヵ月以内であることを踏まえ），少なくとも3ヵ月に1回程度は同事業所の看護職員による訪問により評価を行う
利用者の状態の評価のみを行った場合，看護訪問療養費は算定できない	必ずしもケアプランに位置づけ，訪問看護費の算定を求めるものでない
算定しない場合でも訪問日や訪問内容などを記録する必要があります	

New｜細かい要件にも注意！

　訪問看護ステーションの理学療法士などが訪問リハビリを行う場合，「実施内容を訪問看護報告書に添付すること」，「対象者は，通所リハビリテーションのみでは家屋内におけるADLの自立が困難である場合」という要件があります．2024年の介護報酬改定において，前年度に理学療法士などによる訪問回数が看護職員による訪問回数を超えていたり，緊急時訪問看護加算等を算定していない場合，減算されることになりました．また，要支援者へ12カ月を超えて訪問リハビリを行った場合の減算についても改定されました（図6-4，表6-2，3）．

●看護職員との訪問回数差による減算

　次のいずれかに該当する場合，訪問看護費（介護保険）より1回につき8単位を減算する．

イ　当該訪問看護事業所における前年度の理学療法士，作業療法士または言語聴覚士による訪問回数が，看護職員による訪問回数を超えていること．

ロ　緊急時訪問看護加算，特別管理加算および看護体制強化加算をいずれも算定していないこと

●要支援者へ12ヵ月を超えて訪問リハビリを行った場合の減算

・上記の減算を行っている場合は，1回につき15単位を訪問看護費より減算する

・上記の減算を行っていない場合は，1回につき5単位を訪問看護費より減算する

図 6-4　訪問看護ステーションからの訪問リハビリにおける基本の報酬と加算と減算

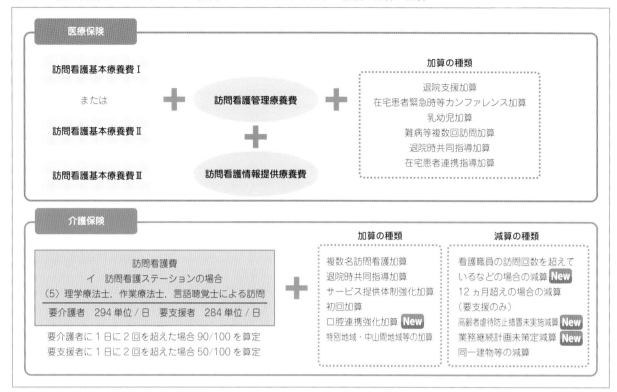

表 6-2　訪問看護ステーションによる訪問リハビリテーションに対する報酬（医療保険）

訪問看護療養費	訪問看護基本療養費（Ⅰ）（同一建物居住者以外，1 日につき）	
	理学療法士，作業療法士，言語聴覚士による場合	5,550 円／日
	訪問看護基本療養費（Ⅱ）（同一建物居住者，1 日につき）	
	(1)　同一日に 2 人	5,550 円／日
	(2)　同一日に 3 人以上	2,780 円／日

表 6-3　訪問看護ステーションによる訪問リハビリテーションに対する報酬（介護保険）

訪問看護費	イ　訪問看護ステーションの場合	要介護者	要支援者
	(5)　理学療法士，作業療法士，言語聴覚士による訪問	294 単位／回	284 単位／回

訪問看護ステーションではリハビリ職が介護保険の訪問看護費を 1 日 3 回以上算定した場合は，介護報酬が要介護者は 10％減算に，要支援者は 50％減算になるよ．

変更

訪問看護療養費（医療保険）	訪問看護管理療養費（1 日につき）	
	1　月の初日	
	イ　機能強化型訪問看護管理療養費 1	1 万 3,230 円
	ロ　機能強化型訪問看護管理療養費 2	1 万 0,030 円
	ハ　機能強化型訪問看護管理療養費 3	8,700 円
	ニ　イからハ以外の場合	7,670 円
	2　月の 2 回目以降の訪問日	
	(1)　訪問看護管理療養費 1	3,000 円
	＜算定要件＞ 訪問看護ステーションの利用者のうち，同一建物居住者の占める割合が 7 割未満であって，次のア，イに該当するもの ア　厚生労働大臣が定める疾病等別表第 7 および別表第 8 に該当する利用者に対する訪問看護について 4 人以上の実績を有すること． イ　精神科訪問看護基本療養費を算定する利用者のうち，GAF 尺度による判定が 40 以下の利用者の数が月に 5 人以上であること．	
	(2)　訪問看護管理療養費 2	2,500 円
	＜算定要件＞ 訪問看護ステーションの利用者のうち，同一建物居住者の占める割合が 7 割以上であること．または 7 割未満であっても上記ア，イのいずれにも該当しないもの	

医療機関から訪問リハビリを行う場合

利用回数, 利用可能な医療機関の数は？

1週間あたりの利用回数は, 医療保険・介護保険それぞれに利用制限があります. しかし, 医療保険の場合, 末期の悪性腫瘍の利用者には利用の制限はありません. 介護保険の場合は1回＝20分, 医療保険の場合は1単位＝20分とカウントします (図6-5).

医療保険

週6単位が原則ですが, 末期の悪性腫瘍の利用者, 退院日から起算して3ヵ月以内の利用者, 急性増悪期の利用者には適用されません.

末期の悪性腫瘍の利用者の場合は, 算定制限がありません. 退院日から起算して3ヵ月以内の利用者の場合は, 週12単位まで, 急性増悪期 (1ヵ月間にバーセル指数またはFIMが5点以上悪化した場合) は1日4単位まで利用できます. 利用できる医療機関は1ヵ所のみです (表6-4, 図6-5).

New 介護保険

週6回が限度. 以前は要介護・要支援の区別はありませんでしたが, 2024年の改定で訪問リハビリテーション費と介護予防リハビリテーション費に分かれました (表6-5). ケアプランに盛り込まれれば, 複数の医療機関からの訪問リハビリテーションが可能です.

また, 医療機関からの訪問リハビリテーションでも, 要支援者へ12ヵ月を超えて訪問リハビリを行った場合の減算について改定がありました. 要支援者に12ヵ月を超えて訪問リハビリを行った場合, 1回につき30単位減算しなければなりませんが, 以下に該当する場合は, 減算はありません.

〈減算を適用しない要件〉

① 3ヵ月に1回以上, リハビリ会議を開催し, リハビリに関する専門的な見地から利用者の状況等に関する情報を構成員と共有し, 会議の内容を記録するとともに, 利用者の状態の変化に応じ, リハビリ計画を見直す

② 利用者ごとのリハビリ計画書等の内容等の情報を厚生労働省に提出し, リハビリの提供に当たり当該情報その他, リハビリの適切かつ有効な実施のために必要な情報を活用

> 厚生労働大臣が定める疾病等別表第7でも, 介護認定を受けていたら介護保険が優先ですよ！
> 急性増悪時とは, 1ヵ月間にバーセル指数またはFIMが5点以上悪化した場合のこと.
> 訪問看護ステーションの急性増悪時等と間違えないように.

表6-4　医療機関（病院・診療所）による訪問リハビリテーションに対する報酬（医療保険）

在宅患者訪問リハビリテーション指導管理料	
1　同一建物居住者以外の場合	300点／単位（1単位20分以上）
2　同一建物居住者の場合	255点／単位（1単位20分以上）

表6-5　医療機関（病院・診療所・介護医療院・介護老人保健施設）による訪問リハビリテーションに対する報酬（介護保険）

訪問リハビリテーション費	308単位／回（1回20分以上）
介護予防リハビリテーション費	298単位／回（1回20分以上）

※介護老人保健施設, 介護医療院は介護保険給付のみ

図 6-5　医療保険と介護保険における医療機関からの訪問リハビリの利用回数・日数と利用できる医療機関数の制限

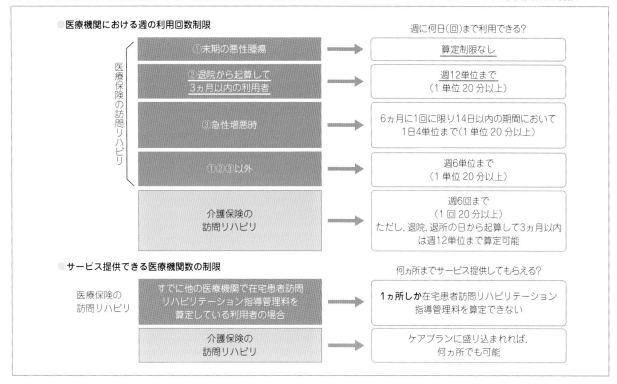

医療保険の訪問リハビリには加算がない

　訪問看護ステーションからの訪問リハビリは，報酬体系も訪問看護と同じですが，医療機関からの訪問リハビリは独自体系です．なお，医療保険の訪問リハビリには加算がまったくないのが特徴です（図6-6）．

図 6-6　医療機関からの訪問リハビリにおける基本の報酬と加算・減算の有無

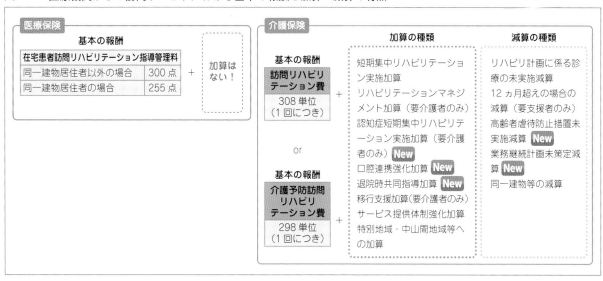

介護保険優先ルールが違う

　訪問リハビリを行う医療機関とは，病院・診療所・介護医療院・介護老人保健施設です．医療機関からの訪問リハビリも介護保険優先ですが，訪問看護ステーションのルールとは異なります．

　医療機関の訪問リハビリでは介護認定を受けていたら，介護保険が優先です．利用者が厚生労働大臣が定める疾病等別表第7に該当していても介護保険です．特別訪問看護指示期間は，医療機関の訪問リハビリには適用されません．

　急性増悪期は医療保険になりますが，この場合の急性増悪期と特別訪問看護指示期間は異なります（図6-7）．

図 6-7　急性憎悪期の考え方の違い

訪問看護ステーションからの訪問リハビリ

特別訪問看護指示期間
原則は1ヵ月に1回

急性増悪期の要件が違うので注意！

医療機関からの訪問リハビリ

・1ヵ月間にバーセル指数またはFIMが5点以上悪化し，一時的に頻回な訪問リハビリが必要と認められた利用者
・6ヵ月に1回に限り，診療を行った日から14日以内の期間，14日を限度として1日4単位まで算定できる（1単位は20分以上のリハビリ）
・バーセル指数，FIMともに，高齢者や障害者の日常生活動作を機能評価した数値

施設への訪問リハビリは……，ほとんどできません

　施設に入所している利用者に訪問リハビリを行う場合，訪問看護と同様に介護保険給付の訪問リハビリでは利用できません．しかし，医療保険給付の訪問リハビリであれば利用可能な施設があります．ただ，医療機関からの訪問リハビリでは，医療保険給付の条件が「要介護認定を受けていない」か「急性増悪時」に限られます．そして，この急性増悪時とは，バーセル指数またはFIMが5点以上悪化した場合で，6ヵ月に1回の14日間のみを指し，この期間は医療保険になります．そのため，医療機関の医療保険給付の訪問リハビリを高齢者向けの施設入所者が利用できる機会は限られていると考えたほうがよいでしょう（表6-6）．

表 6-6　施設への医療機関からの訪問リハビリの可否

	医療保険	介護保険
自宅	要支援・要介護認定を受けていない人 急性増悪時	要支援・要介護認定を受けている人
認知症対応型共同生活介護（グループホーム）特定施設	急性増悪時	利用不可
特別養護老人ホーム短期入所生活介護	利用不可	利用不可

主治医からの指示書作成ルール

医療機関からの訪問リハビリにも主治医の指示が必要です．自院に訪問リハビリに指示を出す場合と，他医療機関の理学療法士などに指示を出す場合では異なります．

特に介護保険で他医療機関に依頼する場合は，依頼先の医師による診察やリハビリ計画書作成が必要になるので注意が必要です．それが行われない場合は減算になります．有効期間は自院でも他医療機関への依頼の場合でも，医療保険は1ヵ月，介護保険は3ヵ月です（表6-7）．

医療機関における理学療法士などの訪問リハビリ

は，医師の関わりがポイントです．

この図6-8を例に説明すると，主治医はA医療機関，リハビリはB医療機関の理学療法士が実施します．

この場合，B医療機関の医師の関わりは次のようになります．

❶ A医療機関の主治医がB医療機関に利用者の情報提供を行う．

New ❷ 利用者の情報をもとにB医療機関の医師が利用者を診察（これを行わない場合は訪問リハビリの報酬が1回につき50単位減算．ただし，2024年の改定で入院中リハビリテーションを受けていた利用者の退院後1ヵ月に限り減算を適用しないことになりました）．

❸ B医療機関の医師はリハビリ計画書と指示を自院の理学療法士などに出します．

❹ リハビリ計画書と指示を出したB医療機関の医師は，A医療機関の主治医にリハビリの効果などの情報提供を行います．

表6-7　指示書作成のルール

自院の場合	他医療機関の場合
カルテにリハビリの指示内容を記載	情報提供書を作成
有効期間：医療保険は1ヵ月	
有効期間：介護保険は3ヵ月	

図6-8　主治医とは別の医療機関が訪問リハビリを実施する場合の流れ（介護保険）

章末問題

▶答えは◯か✕で答えてください

問 6-1

訪問リハビリは，訪問看護ステーションの場合も医療機関の場合も，介護保険の要介護認定を受けている人は原則介護保険からの給付が優先される．

問 6-2

訪問看護ステーションからの介護保険での訪問リハビリは，初回訪問は理学療法士等と同事業所の看護職員が行うことが原則である．

問 6-3

介護保険での訪問リハビリは，ケアプランに盛り込まれれば，何ヵ所でも利用が可能である．

問 6-4

介護保険の訪問リハビリでは，ケアプランに組み込まれれば，週に何回でも訪問できる．

問 6-5

医療機関の介護保険では，リハビリ計画を作成する医師の診察がない場合，訪問リハビリの報酬が1回につき50単位減算になる．

問 6-6

訪問看護ステーションからの訪問リハビリは，要介護認定を受けていても特別訪問看護指示期間は，医療保険が優先される．

問 6-7

医療機関からの介護保険での訪問リハビリは，退院・退所の日から起算して3ヵ月以内は週12単位まで算定可能である．

問 6-8

医療機関からの訪問リハビリでは，要介護認定を受けている末期の悪性腫瘍の利用者は医療保険が優先され，週の利用回数に算定制限はない．

問 6-9

医療機関から訪問リハビリを行う場合，主治医の指示の有効期間は医療保険，介護保険ともに1ヵ月である．

▶解答&解説はp.146

問 6-10

訪問看護ステーションのリハビリ職が介護保険の訪問看護費を1日3回以上算定した場合は、要支援者の介護報酬は10%減算になる.

問 6-11

医療機関からの訪問リハビリは、要介護認定を受けていれば介護保険からの給付が優先されるが、「厚生労働大臣が定める疾病等別表第7」の患者は医療保険からの給付となる.

問 6-12

医療機関からの訪問リハビリの場合、グループホームや特定施設では、急性増悪時のみ医療保険で算定できる.

問 6-13

サービス提供できる医療機関数は、介護保険の場合、ケアプランに盛り込まれれば何か所でも可能だが、医療保険の場合は1ヵ所しか算定できない.

問 6-14

医療機関の訪問リハビリの場合、急性増悪時は、1ヵ月に1回の14日間とされており、その期間は医療保険で1日に4単位まで算定できる.

問 6-15

医療機関からの訪問リハビリの場合、介護保険では、訪問リハビリ事業所の医師がリハビリ計画作成にかかる診療を行っていない場合、原則基本報酬が減算になる.

問 6-16

医療機関からの訪問リハビリの場合、介護保険では週6回の算定制限がある.

問 6-17

医療機関からの訪問リハビリの場合、末期の悪性腫瘍の者は、介護認定を受けていても医療保険での算定となる.

問 6-18

医療機関からの訪問リハビリの場合、グループホームや特定施設の入所者は、急性増悪時を除き介護保険の訪問リハビリは受けられない.

▶解答&解説はp.146

問 6-19

医療機関からの訪問リハビリが医療保険の適用となる急性増悪時とは，バーセル指数またはFIMが5点以上悪化した場合をいい，1日に4単位まで算定できる．

問 6-20

医療機関からの訪問リハビリについて，要介護認定を受けている者で医療保険の対象となるのは，急性増悪時のみである．

問 6-21

医療機関からの訪問リハビリを行う場合，特別訪問看護指示期間は医療保険給付になる．

問 6-22

医療機関からの訪問リハビリでは，医療保険も介護保険も，同一患者に対しては1ヵ所の事業所しか算定できない．

問 6-23

医療機関からの訪問リハビリでは，介護保険の短期集中リハビリテーション実施加算は，退院・退所日だけでなく，要介護認定の効力発生日から3ヵ月以内も算定できる．

問 6-24

医療機関からの訪問リハビリの場合，医師からのリハビリ指示の有効期間は，医療保険の場合も介護保険の場合も3ヵ月である．

問 6-25

医療機関からの訪問リハビリは，医療保険の場合，末期の悪性腫瘍の利用者に行う場合のみ，利用回数の制限はない．

問 6-26

訪問看護ステーションからの訪問リハビリは，医療保険の場合も介護保険の場合も，看護師の定期的な訪問が必要である．

問 6-27

医療機関からの介護保険の訪問リハビリは，他の医療機関に依頼する場合は，依頼先の医師による診療やリハビリ計画書の作成が必要になる．

▶解答&解説はp.146

問 6-28

医療機関の介護保険では，要支援者に対して利用開始月から12ヵ月を超えて訪問リハビリを行うと，必ず減算される．

▶解答&解説はp.146

 ちょっと**Break!** 「患者本位」を常に貫いていますか？

「患者本位」という言葉を医療現場でよく耳にします．しかし，本当の意味での患者本位の実践は難しいようで，それは在宅医療の現場でも同じです．

「患者のことを考えて，患者を中心にいつも仕事を行っているか？」と問われたら，ほとんどの方が「やっている」と答えるでしょう．当院の職員に尋ねても同様です．

しかし，「業務が立て込んで忙しい時期に，追加でサービスを入れて欲しいと患者が希望されたら，希望通りできるか？」と聞くと，言葉に詰まります．「こんなに忙しい時期に自分はいいとしても，みんなが嫌がるから断ろうかな」とつい院内の都合を考えてしまうからです．これでは，いつも患者を中心にして仕事を行っているとはいえません．

そんなときは「アイデアを出して工夫しよう」と話しています．業務を調整するだけでなく，当院だけでは対応できないときは，制度の知識を活用して他の事業所にも入ってもらって患者の希望に沿うようにするのです．病院では病院内の限られたスタッフだけで対応しなければなりませんが，在宅医療は少々勝手が違います．訪問看護を例に取ると，自分の事業所のマンパワー不足で，ある患者の希望に沿った訪問ができない場合，制度の要件を満たせば，患者は他の事業所の訪問看護も併用できます．さらには，患者のご近所の方や民生委員など地域の力を借りたり，同じ患者に関わる他の専門職に患者の様子を見てきてもらったりすることもできます．

自分の事業所だけでなんとか対応しようとすると，自分たちの都合を優先してしまいがちです．しかし，「患者にとって良いことは何なのか」を常に考えていると様々なアイデアが出て，結果的に多職種や地域とのネットワークが深まります．

在宅医療では頭も心も柔軟にして，患者本位を貫いた仕事を行いたいものです．

ちょっとBreak!　「治す医療」から「支える医療」への変革

　老衰とは，文字通り「老いて心身が衰えること」．老衰死とは，高齢の方の死因で特定できる病気がなく，加齢に伴って自然に生を閉じることです．人は亡くなる前に食べられなくなることにより，脱水状態となって眠り時間が多くなり，動作能力が低下していきます．それは人が自然に亡くなる過程です．老衰死もこのような過程をたどります．

　しかし，今の日本では，寿命に達するような高齢者であっても，食事が摂れなくなったらまずは病院で検査をします．病気が見つかると主治医から手術や投薬などの治療の選択肢が提示されますし，原因が特定できなくても，輸液や胃ろう，経鼻チューブによる栄養補給の選択肢を提示されるでしょう．そこで，「何もせずに自然に看取る」という選択肢を同時に提示できるかどうかなのです．

　「治すこと」を目指して発展してきた日本の医療では，「自然のままに看取る」という選択肢をほとんど提示してこなかったのが実情です．治せる病気には当然，治療が必要です．しかし，老化やまもなく訪れようとする死に正面から向き合わず，患者にとってつらい治療を続けてしまうということがあります．

　今までの日本の医療は病気を治すことを目的としてきました．そのため，たとえそれが老衰や寿命による死であっても，治せないことは医療の敗北であると医師は考えてしまいます．そのような，老いや死と向き会わずに先延ばしする医療からは脱却することです．

　多死社会の課題解決は，『自宅での看取りを日本に取り戻す』ことです．日本では約8割の人が病院で亡くなっていますが，これは世界的に見ると特別なこと．介護や福祉の先進国であるオランダやスウェーデンでは40％前後と日本の約半分，他国と比べても日本は世界で最も病院看取りの割合が高い国なのです．

　「人生の最期は病院で迎えるのがあたりまえ」と多くの日本人は考えていますが，1960年代までは自宅で亡くなることが普通でした．それが国民皆保険の施行や医療制度の充実，医療の発展に伴って病院で亡くなる人が増加し，1970年代後半には逆転します．

　病院で亡くなることが常識となってしまっている今の日本では，家族を自宅で看取ったという経験を持つ人も少なくなりました．それは医療・介護の専門職にしても同じです．そのため，自宅で療養していても，前と同じように食べられなくなったからといって入院させて，点滴や胃ろうで栄養補給を続け，そのまま病院で最期を迎えるということが往々にして起こっています．

　たとえ，本人や家族が自宅で最期を迎えたいと希望しても，周囲から入院や点滴をしないことを非難され，「本当にこれで良いのか」と家族の気持ちが揺らいでしまうこともあります．

　病院だけでなく，自宅での看取りという選択肢があること．そして，その選択肢は決して特別なことでも，困難が伴うことでもないということを一般の人も知っていれば，自宅で最期を迎えたいと思う人が，その意思を叶えられるようになるでしょう．

　認知症の進行や障害などで，患者本人が意思を伝えられないときには，あたりまえのように家族が代わって決定をしています．その意思は，誰の意思でしょうか．

　わかりやすい例が，重度の認知症患者への胃ろうの導入です．胃ろうの適応ありと診断された対象者のほとんどが胃ろう栄養を行っています．その導入の際に患者本人の生き方や価値観は尊重されているのでしょうか．医療従事者からの「本人なら，どうしたいというと思いますか？」という一言と，そこに思いを馳せる想像力，思いやりが意思決定の場面には必要なのです．

　患者の家族や医療従事者だけではなく，患者本人にとって最善の医療を提供できる，患者本人の生き方と向き合う医療が求められているのです．

> 治す医療から支える医療への変革を！
> 本人の生き方に向き合う医療を目指そう！

第7章

知っておきたい！
多職種の報酬体系

知っておきたい！多職種の報酬体系

ここで
学ぶこと
▶ 居宅療養管理指導と各職種の報酬，訪問薬剤師やケアマネジャーの報酬の概要
▶ 訪問マッサージ，訪問はり・きゅうの報酬と同意書発行の注意ポイント

居宅療養管理指導とは？

　通院が困難な，自宅で暮らす要支援・要介護の認定を受けた人に対して，医師や看護師，薬剤師などが患家を訪問して療養上の管理や指導，助言を行う介護保険のサービスです．自宅療養を行う上で必要な指導を目的としていて，治療などは含まれません．

　居宅療養管理指導のサービスが行える職種は，医師，歯科医師，薬剤師，管理栄養士，歯科衛生士等と定められています（図7-1）．いずれの職種も，

算定要件にはケアプランを作成するケアマネジャーへの情報提供があります．また，医師・歯科医師による居宅療養管理指導の留意事項として，「必要に応じて利用者の社会生活面の課題にも目を向け，地域社会における様々な支援へとつながるよう留意し，関連する情報についてケアマネジャーなどに提供するように努めること」とされています．薬剤師・管理栄養士・歯科衛生士にも同様の留意事項として「社会生活面の課題にも目を向けて情報を把握して，

図 7-1　居宅療養管理指導のサービスを行える職種

医師
・1ヵ月に2回まで算定可能
・同月に在総管・施設総管を算定した場合は（Ⅱ）を，それ以外は（Ⅰ）を算定する

医療機関の薬剤師
・1ヵ月に2回まで算定可能
・医師の在宅患者訪問診療料と同一日の算定は不可

変更 **薬局の薬剤師**
・1ヵ月に4回まで算定可能
・末期の悪性腫瘍，中心静脈栄養を受けている患者，注射による麻薬投与を受けている患者は週2回かつ1ヵ月に8回まで算定可能

歯科医師
・1ヵ月に2回まで算定可能

変更 **歯科衛生士等**
・1ヵ月に4回まで算定可能．がん末期の利用者については，1月に6回を限度として算定
・単なる日常的な口腔清掃などでは算定不可
・歯科医師の訪問診療から3ヵ月以内に算定

変更 **管理栄養士**
・1ヵ月に2回まで算定可能
・急性増悪時の訪問として，特別の指示の日から30日間に限り，従来の限度回数（1月に2回）を超えて，2回を限度として行うことができる．
・外部の管理栄養士の場合は（Ⅱ）を算定する

関連する情報を，指示書を出した医師や歯科医師に提供するよう努めること」とされています．

居宅療養管理指導の報酬である居宅療養管理指導費（表7-1）は介護保険の区分支給限度基準額の枠外であるため，利用者の介護保険利用限度額に影響することはありません．

変更 表7-1　居宅療養管理指導費の報酬

職種		1月の算定限度	報酬単価		
			単一建物居住者が1人の場合	単一建物居住者が2～9人の場合	単一建物居住者が10人以上の場合
医師	（Ⅰ）	2回	515 単位	487 単位	456 単位
	（Ⅱ）		299 単位	287 単位	260 単位
歯科医師		2回	517 単位	487 単位	441 単位
薬剤師	病院または診療所	2回	566 単位	417 単位	380 単位
	薬局	4回	518 単位	379 単位	342 単位
	薬局オンライン服薬指導料	4回		46 単位	
管理栄養士	（Ⅰ）	2回	545 単位	487 単位	444 単位
	（Ⅱ）		525 単位	467 単位	424 単位
歯科衛生士		4回	362 単位	326 単位	295 単位

薬剤師による訪問薬剤管理指導

薬剤師による訪問指導は在宅患者が利用する頻度が高いため，詳しく解説します．訪問薬剤管理指導には，居宅療養管理指導費と在宅患者訪問薬剤管理指導料の2つの報酬があります．要介護・要支援の認定を受けた人には，居宅療養管理指導費を算定し，要介護・要支援の認定を受けていない人は在宅患者訪問薬剤管理指導料（表7-2）を算定します．医療保険の診療報酬である在宅患者訪問薬剤管理指導料の報酬は表7-3の通りです．

表7-2　薬剤師の居宅療養管理指導費（介護保険）

職種等	報酬単価		
	単一建物居住者数が1人の場合	単一建物居住者数が2～9人の場合	単一建物居住者数が10人以上の場合
医療機関の薬剤師	566 単位	417 単位	380 単位
薬局の薬剤師	518 単位	379 単位	342 単位
オンライン服薬指導料（月4回まで）		46 単位	
・麻薬の使用に関する管理指導を行う場合　100 単位／回			

※介護予防も同様．

表 7-3　在宅患者訪問薬剤管理指導料の報酬（医療保険）

職種等	報酬単価		
	単一建物診療患者が1人の場合	単一建物診療患者が2〜9人の場合	単一建物診療患者が10人以上の場合
医療機関の薬剤師	650点	320点	290点
薬局の薬剤師	650点	320点	290点
オンライン服薬指導料	59点		

・麻薬の使用に関する管理指導を行う場合　100点／回
・乳幼児加算（6歳未満の乳幼児が対象）　100点／回
・小児特定加算（医療的ケア時または家族が対象）　450点／回
・在宅患者医療用麻薬持続注射法加算　250点／回
・在宅中心静脈栄養法加算　150点／回

ケアマネジャーの報酬

　ケアマネジャーの居宅介護支援費は，1人のケアマネジャーが担当する件数で報酬が異なります．45件以上で減算される居宅介護支援費（I）と50件以上で減算される居宅介護支援費（II）があります．居宅介護支援費（II）を算定するには，ケアプランデータ連携システムの活用と共に事務職員を配置するという要件があります．

　また，入院時に入院医療機関への情報提供を評価した入院時情報連携加算，在宅で死亡した際のきめ細かいケアマネジメントを評価したターミナルケアマネジメント加算などもあります（表 7-4, 5）．

変更 表 7-4　居宅介護支援費の報酬

		1ヵ月の単位数	
居宅介護支援費（I）	（i）	要介護1・2　1086単位 要介護3・4・5　1411単位	取り扱い件数45件未満の場合，または45件以上である場合の45件未満の部分
	（ii）	要介護1・2　544単位 要介護3・4・5　704単位	取り扱い件数45件以上である場合の45件以上60件未満の部分
	（iii）	要介護1・2　326単位 要介護3・4・5　422単位	取り扱い件数45件以上である場合の60件以上の部分
居宅介護支援費（II）	（i）	要介護1・2　1086単位 要介護3・4・5　1411単位	取り扱い件数50件未満の場合，または50件以上である場合の50件未満の部分
	（ii）	要介護1・2　527単位 要介護3・4・5　683単位	取り扱い件数50件以上の場合の50件以上60件未満の部分
	（iii）	要介護1・2　316単位 要介護3・4・5　410単位	取り扱い件数50件以上の場合の60件以上の部分
介護予防支援費		地域包括支援センターが行う場合　442単位 指定居宅介護支援事業所が行う場合　472単位	要支援者が対象．要支援の場合，地域包括支援センターの保健師などが介護予防ケアプランを担当していたが，2024年の改定で，居宅介護支援事業者も市町村からの指定を受けて，介護予防ケアプランを作成できるようになった

表 7-5 居宅介護支援費の各種加算

初回加算		300 単位／月	居宅サービス計画を新規作成した場合や要支援者が要介護認定を受けた際に居宅サービス計画を作成した場合，または要介護状態区分が 2 区分以上変更された場合に算定
変更 入院時情報連携加算	（Ⅰ） （Ⅱ）	250 単位／月 200 単位／月	利用者が医療機関に入院後，その医療機関の職員に対して利用者の情報を入院した当日に提供した場合（Ⅰ）を，入院した翌日か翌々日に提供した場合（Ⅱ）を算定
退院・退所加算	（Ⅰ）イ （Ⅰ）ロ	450 単位／月 100 単位／月	医療機関・介護施設の職員から利用者に関する必要な情報を 1 回受けた場合に算定．情報提供の方法がカンファレンスの場合は，ロを算定
	（Ⅱ）イ （Ⅱ）ロ	600 単位／月 750 単位／月	医療機関，介護施設の職員から利用者に関する必要な情報を 2 回受けた場合に算定．情報提供の方法がカンファレンスの場合は，ロを算定
	（Ⅲ）	900 単位／月	医療機関，介護施設の職員から利用者に関する必要な情報を 3 回受け，うち 1 回以上がカンファレンスによる場合
緊急事等居宅カンファレンス加算		200 単位／回	医療機関の求めにより，その医療機関の職員と共に利用者の居宅を訪問してカンファレンスを行い，必要に応じて居宅および地域密着型サービスの利用調整を行った場合に算定．月 2 回まで算定可
変更 ターミナルケアマネジメント加算		400 単位	利用者または家族の同意を得て，利用者の死亡日および死亡日前 14 日以内に 2 日以上利用者宅を訪問し，利用者の心身の状況などを記録して，主治医や居宅サービス事業者に提供した場合に算定
変更 通院時情報連携加算		50 単位／月	利用者が医師または歯科医師の診察を受ける際に同席し，医師等に利用者の心身の状況や生活環境等の必要な情報提供を行い，医師等から利用者に関する必要な情報提供を受けた上で，ケアプランに記録した場合に算定

※退院退所加算の算定要件にあるカンファレンスは，病院または診療所の場合，退院時共同指導料 2 の多機関共同指導加算（p.121 参照）の要件を満たすカンファレンスに限られます．

ちょっと Break!　多職種連携の目的は，「患者が安心して自宅で療養生活を続けられること」

　最近は病院でも多職種でのチーム医療に取り組んでいますが，病院と在宅医療では，多職種連携の意味も性質も異なります．病院では，全ての職種が同じ組織のスタッフであり，チームの第一の目的は「患者の病気を治療し，早期に回復させること」です．一方，在宅医療では医師と看護師ですら，別法人の事業所に所属しているケースがほとんどで，チームメンバーも医療従事者だけにとどまりません．ケアマネジャーや訪問ヘルパーなどの介護職，デイサービスやショートステイなどの施設職員，福祉用具や在宅酸素の供給事業者，民生委員，保健所や行政，地域包括支援センター，時には患者宅の大家や隣人，友人までもが 1 つのチームとして連携することがあります．

　なぜ，これほど多くの人や職種と連携する必要があるのかというと，1 つの専門職が患者宅に滞在する時間は短時間で，滞在していない大半の時間を患者や家族がどのように過ごしているのかを知る方法がなく，その間の保障ができないからです．そのため，患者に関わる多くの専門職や非専門職が連携して，自宅で暮らす患者を見守ろうとしているのです．

　そして，この在宅医療チームの第一の目的は「患者が安心して自宅で療養生活を続けること」にあります．そのためには，単に医療や介護を提供するだけでは不十分で，「患者本人の生きがいづくり」や「家族の理解と介護協力体制づくり」も欠かせません．まずは，このことをチーム全員で認識すること，そして情報を共有し，方針を統一していくことで，より良い多職種連携につながっていくと考えています．

訪問はり・きゅう，訪問マッサージの報酬

在宅患者がよく利用している訪問はり・きゅうと訪問マッサージ（あん摩・マッサージ・指圧を含む）についても説明しておきます．

訪問はり・きゅう・訪問マッサージは健康保険の療養費の給付対象になりますが，主治医の施術同意書が必要です．また，はり・きゅうは，腰痛などの6疾患に該当する場合，マッサージは筋麻痺や関節拘縮などの特定の状態の場合にのみ給付されます．通院困難な患者に対しては往療も認められています．2024年10月1日から施行される療養費では，はり・きゅう，マッサージともに同一日，同一建物で施術する人数により，料金が異なる施術料2・3が設定されました．

変更

訪問はり・きゅうの療養費（2024年10月1日施行）

初検料
1術（はりまたはきゅうのいずれか一方）の場合　1,950円
2術（はり，きゅう併用）の場合

施術料（訪問の場合）
訪問施術料1（同一日・同一建物で施術を行った患者数が「1人の場合」の患者1人あたり料金）
①1術の場合　1回につき3,910円
②2術の場合　1回につき4,070円

訪問施術料2（同一日・同一建物で施術を行った患者数が「2人の場合」の患者1人あたり料金）
①1術の場合　1回につき2,760円
②2術の場合　1回につき2,920円

訪問施術料3（同一日・同一建物で施術を行った患者数が「3人の場合」の患者1人あたり料金）
〈3〜9人〉
①1術の場合　1回につき2,070円
②2術の場合　1回につき2,230円

〈10人以上〉
①1術の場合　1回につき1,760円
②2術の場合　1回につき1,920円

変更

訪問マッサージの療養費（2024年10月1日施行）

・通院困難，患家からの求め，医師による往療や部位ごとに施術の必要性の同意に基づき訪問施術を行った場合
・算定対象は，躯幹・右上肢・左上肢・右下肢・左下肢の最大5部位

施術料（訪問の場合）
訪問施術料1（同一日・同一建物で施術を行った患者数が「1人の場合」の患者1人あたり料金）
1局所　2,750円　　2局所　3,200円
3局所　3,650円　　4局所　4,100円
5局所　4,550円

訪問施術料2（同一日・同一建物で施術を行った患者数が「2人の場合」の患者1人あたり料金）
1局所　1,600円　　2局所　2,050円
3局所　2,500円　　4局所　2,950円
5局所　3,400円

訪問施術料3（同一日・同一建物で施術を行った患者数が「3人の場合」の患者1人あたり料金）
〈3〜9人〉
1局所　910円　　2局所　1,360円
3局所　1,810円　　4局所　2,260円
5局所　2,710円

〈10人以上〉
1局所　600円　　2局所　1,050円
3局所　1,500円　　4局所　1,950円
5局所　2,400円

変形徒手矯正術（マッサージの加算）
対象は6大関節：左右上肢（肩・肘・手関節），左右下肢（股，膝，足関節）
1肢1回につき470円

施術同意書を発行する主治医の注意ポイント

はり・きゅう，マッサージの施術同意書を発行する際には，給付の対象となる疾患や症状に該当するかどうかや，再交付時の交付年月日には注意が必要です．また，誤解が多い，療養費と保険診療の併用についても解説します．

〈施術同意書交付時の診療報酬と注意点〉

●療養費同意書交付料　100点

・療養費同意書の有効期限は最長で6ヵ月であり，患者が継続して健康保険によるはり・きゅう，マッサージを受けるには，6ヵ月ごとに主治医による文書での同意が必要になる．

・マッサージの変形徒手矯正術については，有効期限が1ヵ月のため，1ヵ月ごとの同意が必要．

・再同意の場合も医師の診察と同意書等の交付が必要で，電話等による再診では同意書は交付できない．

・同意書等の再交付の場合も療養費同意書交付料を算定できる．ただし，前回の交付年月日が月の15日以前の場合は当該月の5ヵ月後の月の初日，月の16日目以降の場合は当該月の6ヵ月後の初日以降でなければ算定できない．

・変形徒手矯正術については，前回の交付年月日から起算して1ヵ月以内の交付については1回に限り算定できる．

〈療養費と診療報酬の併用について〉

はり・きゅう，マッサージの同意書を発行すると，発行した患者に対して一切の保険診療ができなくなると誤解している医師も少なからずいるようですので，療養費と診療報酬の併用について説明します．

はり・きゅうの場合，同意書交付のために必要な診察や検査を除いて，同一の疾患に対して医療機関が処置や投薬などの治療を行うと治療が優先されるために，はり・きゅうの療養費は給付されません．例をあげると，腰痛の患者に対して医療機関が治療している場合，はり・きゅうで腰痛の施術をしても療養費は給付されません．しかし，認知症の患者に腰痛があり，腰痛に対してはり・きゅうの施術を受けて療養費の給付を受けた際，認知症に対する保険診療の併用は認められています．マッサージの場合は，同一の疾患に対する施術同意書の発行が可能です．

保険給付の対象となる疾患，症状

はり・きゅうの場合

神経痛・リウマチ・頸腕症候群・頸椎捻挫後遺症・五十肩・腰痛症の6疾患
上記以外に保険者が個別に判断する場合もあり．

マッサージ

筋麻痺・筋萎縮・関節拘縮などの症状があり，医療上のマッサージが必要な者．

章末問題

▶答えは◯か✕で答えてください

問 7-1

居宅療養管理指導費の報酬があるのは，薬局の薬剤師，歯科医師，歯科衛生士，管理栄養士の4職種である．

問 7-2

どの職種も居宅療養管理指導費の算定要件には，ケアプランを作成するケアマネジャーへの情報提供がある．

問 7-3

居宅療養管理指導費はどの職種も1月に2回までしか算定できない．

問 7-4

居宅療養管理指導費は，介護保険の区分支給限度基準額の枠外であるため，算定しても利用者の介護保険利用限度額に影響はない．

問 7-5

居宅療養管理指導費は，単一建物居住者数によって異なる．

問 7-6

医師の居宅療養管理指導費は，同月に在総管・施設総管を算定した場合は（Ⅱ）を算定する．

問 7-7

訪問薬剤指導は介護保険では評価されておらず，医療保険の調剤報酬しか算定できない．

問 7-8

利用者が要介護・要支援の認定を受けていれば，薬局薬剤師は居宅療養管理指導費を算定するが，患者が「厚生労働大臣が定める疾患等別表第7」に該当する場合は，医療保険の在宅患者訪問薬剤管理指導料を算定する．

問 7-9

かかりつけ薬剤師指導料は，1人の患者に対して1ヵ所の保険薬局の1人の薬剤師しか算定できない．

▶解答&解説はp.146, 147

薬局の薬剤師は居宅療養管理指導を月に4回算定できるが，末期の悪性腫瘍患者，中心静脈栄養を受けている患者の場合のみ月に8回まで算定できる．

ケアマネジャーは，1人のケアマネジャーが担当する件数で報酬が異なり，担当件数が多くなるほど報酬が増える．

ケアマネジャーが算定する居宅介護支援費の入院時情報連携加算（Ⅰ）は，利用者が入院後，その医療機関の職員に利用者の情報を3日に以内に提供した場合に算定できる．

ケアマネジャーにもターミナルケアを評価する加算，ターミナルケアマネジメント加算があるが，末期の悪性腫瘍患者に限られている．

介護予防支援は，地域包括支援センターの保健師などが介護予防ケアプランを担当する．

マッサージの療養費の給付対象者は，筋麻痺の症状がある患者のみである．

はり・きゅうの療養費の給付対象者は，関節拘縮，リウマチ，五十肩，腰痛症，頸椎捻挫後遺症，頸腕症候群の6疾患の患者である．

療養費を利用したはり・きゅう，マッサージの主治医同意書の有効期限は6ヵ月であるため，患者が継続して利用するためには主治医の再同意が必要である．

あんま・マッサージにある変形徒手矯正術は，主治医同意書の有効期限は3ヵ月である．

腰痛症ではり・きゅうを行い，医療機関でも腰痛症の治療を行った場合，療養費と保険診療の給付の併用は認められる．

▶解答&解説はp.146, 147

問 7-20

認知症の患者に腰痛があり，はり・きゅうの同意書を発行した場合，認知症に対する保険診療はできない．

▶解答&解説はp.146, 147

ちょっと**Break!**　全国在宅医療テストとは

「全国在宅医療テスト」とは，医療法人ゆうの森主催で2009年から毎年実施している在宅医療に関する制度や知識を問うテストです．より多くの方に受験していただくために受験料は無料にしていて，今では受験者が北海道から沖縄まで全国に広がり，2023度の受験者は約3,000人にまでなりました．

現在，全国在宅医療テストは通常版と初心者向けのビギナー版の2種類があります．『たんぽぽ先生の在宅報酬算定マニュアル第8版』（日経BP社）が通常版の公式テキスト，『たんぽぽ先生の在宅報酬ドリル』（日経BP社）が通常版の公式問題集，そして，この『在宅医療報酬算定ビギナーズ』（南山堂）はビギナー版の公式テキストです．

このテストは当初，通常版のみを行っていましたが，少し難しいとの意見をいただきました．しかし，私は勉強もせずに受けて良い点が取れるようなテストは，やる意味がないと考えています．とはいえ，クリニックに入職したばかりの方や在宅医療を始めたばかりの方にとっては，在宅医療の制度は複雑で難解ですから，基本的なことを理解していればある程度点数が取れるビギナー版テストを作りました．ここから徐々にステップアップしていただければと願っています．

医療者の無知は患者さんにとって罪と考え，プロとしての自覚を持って勉強し，少しでも知識をつけて自分のレベルを上げることこそが大切だと私は考えています．年に1回の在宅テストを制度について勉強する機会と捉えて，うまく活用していただければ幸いに思います．

この在宅医療テストの問題は，法人内で得点数1位を2年連続でとった職員と私の，たった4人の問題作成委員で作成し，2人の理事が実際に解いて問題の精度を確認しています．発送作業も作成委員と理事の6人で行い，テスト内容が外部に漏れないよう細心の注意を払っています．

このように毎年積み重ねた実績により，おかげさまで「在宅医療に関わる人なら，これらの公式テキストや問題集は大抵持っている」という声が聞こえてくるまでになりました．

今後，本格的な多死社会を迎える日本において，在宅医療は鍵となる医療です．しかしながら，制度を熟知して自信を持って患者さんに必要な在宅医療を本当の意味でマネジメントできる人は，まだまだ少数というのが現状です．しっかりとした知識を身につけた読者の皆様が，患者さんのマネジメントの核となる存在となり，質の高い在宅医療が全国にさらに普及する事を願っています．

全国在宅医療テスト（参加費無料）の受験は，医療法人ゆうの森のウェブサイト（http://www.tampopo-clinic.com/）でお申し込みください．

多職種で行う退院支援と
カンファレンスの
基礎知識

多職種で行う退院支援とカンファレンスの基礎知識

ここで学ぶこと

▶ 退院支援は入院時から始まっている．スムーズな在宅復帰を支援するための各種の診療報酬・介護報酬がある

▶ 退院前に行われるカンファレンスには，入院医療機関側に多職種連携を促す診療報酬がある．入院医療機関には退院前カンファレンスの開催を積極的に働きかけよう

▶ 利用者の自宅で開かれるカンファレンスを評価した診療報酬がある．主治医は，利用者の状態が変わったときなどに積極的に多職種カンファレンスをもち，利用者と家族を支援しよう

スムーズな入退院は在宅医療の普及にもつながる！

利用者が入院をするとき，療養場所だけでなく自分を診てくれる医師や看護師も変わります．入院することになって気落ちしたその上に，入院先の医師や看護師と新しい人間関係を構築しなければならないのですから，利用者や家族はとても不安なものです．そんな折に病院の医師や看護師から，「在宅医からは何も伝わっていない」などといわれると，その不安に拍車がかかるでしょう．

在宅側と病院側がしっかりと連携をとり，入退院がスムーズに安心して行われれば，利用者にとって在宅療養はさらに安心なものになります．その安心が，在宅医療の普及につながっていくのです．

それを見越してか，入退院時には様々な職種に連携のための診療報酬が設けられています（図8-1，2）．

図 8-1　在宅側から病院へ利用者の情報提供

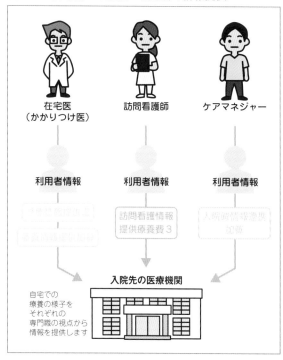

図 8-2　入院時から退院後までの利用者の支援と診療・介護報酬

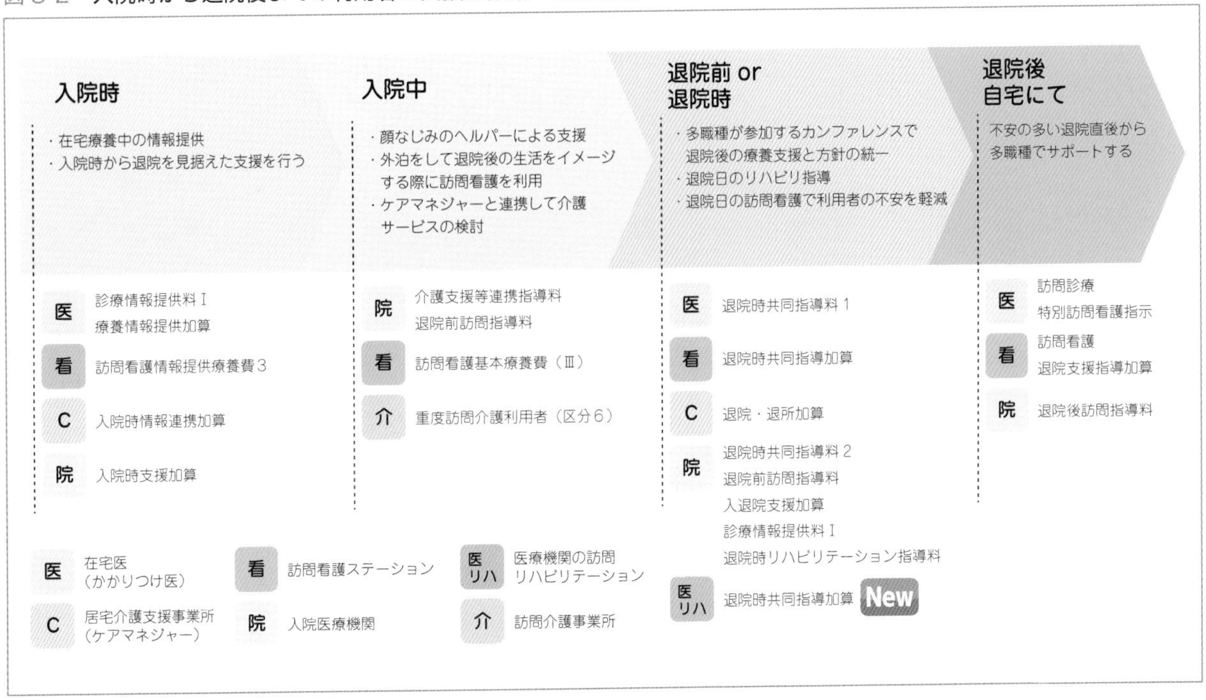

入院時	入院中	退院前 or 退院時	退院後 自宅にて
・在宅療養中の情報提供 ・入院時から退院を見据えた支援を行う	・顔なじみのヘルパーによる支援 ・外泊して退院後の生活をイメージする際に訪問看護を利用 ・ケアマネジャーと連携して介護サービスの検討	・多職種が参加するカンファレンスで退院後の療養支援と方針の統一 ・退院日のリハビリ指導 ・退院日の訪問看護で利用者の不安を軽減	不安の多い退院直後から多職種でサポートする

入院時
- 医　診療情報提供料Ⅰ／療養情報提供加算
- 看　訪問看護情報提供療養費3
- C　入院時情報連携加算
- 院　入院時支援加算

入院中
- 院　介護支援等連携指導料／退院前訪問指導料
- 看　訪問看護基本療養費（Ⅲ）
- 介　重度訪問介護利用者（区分6）

退院前 or 退院時
- 医　退院時共同指導料1
- 看　退院時共同指導加算
- C　退院・退所加算
- 院　退院時共同指導料2／退院前訪問指導料／入退院支援加算／診療情報提供料Ⅰ／退院時リハビリテーション指導料
- 医リハ　退院時共同指導加算 **New**

退院後 自宅にて
- 医　訪問診療／特別訪問看護指示
- 看　訪問看護／退院支援指導加算
- 院　退院後訪問指導料

凡例
- 医　在宅医（かかりつけ医）
- 看　訪問看護ステーション
- 医リハ　医療機関の訪問リハビリテーション
- C　居宅介護支援事業所（ケアマネジャー）
- 院　入院医療機関
- 介　訪問介護事業所

入院時 —在宅療養中の利用者の情報も多職種から—

利用者が入院になったとき，入院先医療機関に利用者の在宅療養中の情報を提供するのは，在宅医（かかりつけ医）だけではありません．訪問看護ステーションやケアマネジャーそれぞれの視点からの情報提供が推奨されています．そのため，それぞれに診療報酬，介護報酬があります．

医　在宅医

診療情報提供料Ⅰ　250 点

訪問診療を行う医師が在宅療養中の経過や今回入院となった経緯を伝えるのが，診療情報提供書．病状だけでなく，利用者や家族の療養の希望，たとえば「自宅での看取りを希望されている」なども記入しておくと退院支援がスムーズになることもあります．

療養情報提供加算　50 点

診療情報提供料Ⅰの加算です．診療情報提供書に，訪問看護ステーションからの訪問看護情報提供書を添付して入院医療機関に提供した場合に算定できます．

看　訪問看護ステーション

訪問看護情報提供療養費3　1,500 円（月1回）

利用者が医療機関・介護医療院・介護老人保健施設に入院・入所する際に，その利用者についてのケア時の具体的な方法や留意点，または継続すべき看護などの情報を提供した場合，算定できます．同じ内容でも，訪問看護報告書で行った場合は算定できないので注意してください．算定は医療保険で行い，他の訪問看護ステーションとの併算定はできません．1人の利用者に2つの訪問看護ステーションが関わっていても算定できるのは1つの訪問看護ステーションだけです．

入院入所する医療機関などが訪問看護ステーションと特別な関係にある場合や主治医が所属する医療機関である場合は算定できません．

C 居宅介護支援事業所

変更 | 入院時情報連携加算（Ⅰ）250 単位，（Ⅱ）200 単位

入院時の迅速な情報連携を強化するために，2024 年に入院時連携加算（Ⅰ）（Ⅱ）の要件が改定されました．利用者が病院・診療所に入院した日のうちに，その医療機関の職員に対して利用者情報を提供した場合には（Ⅰ）の 250 単位を，入院した日の翌日または翌々日に提供した場合に（Ⅱ）を算定します．

入院中──退院後の生活を見据えた支援を──

入院中はすべて入院先にお任せ，退院後のことは退院が決まったときに……というわけではありません．

入院中に入院医療機関が，退院後の介護のプラン作成を担当するケアマネジャーや相談支援専門員と退院後の生活に導入が必要なサービスなどについて指導することを評価した診療報酬があります．以前はケアマネジャーだけが対象でしたが，2018 年の改定の折に障害福祉サービスのプランを作成する相談支援専門員も対象になりました．

そして，利用者の外泊時に訪問看護を利用できる場合もあります．

また，重度訪問介護利用者（区分 6）の場合は，入院中の医療機関で重度訪問介護のヘルパーを利用することが可能になりました．

看 訪問看護ステーション

訪問看護基本療養費（Ⅲ）　8,500 円

入院患者が退院後の生活をイメージするために，試験的に外泊をすることがありますが，その際にも訪問看護を利用することができます．

医療保険の訪問看護になり，介護保険の要介護認定を受けている利用者でも医療保険になります．

外泊時の訪問看護は，訪問看護ステーションが行う場合は，訪問看護基本療養費（Ⅲ）を算定します（表 8-1）．

表 8-1　訪問看護基本療養費（Ⅲ）の対象者

- ・厚生労働大臣が定める疾病等別表第 7（2 回まで算定可）
- ・厚生労働大臣が定める状態等別表第 8（2 回まで算定可）
- ・外泊日に訪問看護が必要と認められた者（1 回限り）

院 入院医療機関

介護支援等連携指導料　400 点

医療機関に入院中の利用者に対し，医師または医師の指示を受けた看護師，社会福祉士，薬剤師，理学療法士等が，相談支援専門員またはケアマネジャーと共同して，利用者の心身の状態などを踏まえて導入が望ましい介護等サービスや退院後に利用可能な介護等サービスについて説明・指導を行った場合，入院中に 2 回まで算定できます（図 8-3）．

図 8-3　入院中に行う退院後の介護等についての話し合い

重度訪問介護利用者は入院中にもヘルパー利用が可能です.

自宅療養中に重度訪問介護の利用者が入院した場合,障害支援区分6の利用者に限り,入院先の医療機関でも引き続き自宅に来ていたヘルパーを月の支給決定時間の範囲内で利用できましたが,2024年の改定で特別なコミュニケーション支援を必要とする区分4・5の利用者も可能になりました.

重度訪問介護により提供する支援は,利用者が病院の職員と意思疎通を図る上で必要な支援とされ,病院との連携の下に行うこととされています.

たとえばALS（筋萎縮性側索硬化症）患者など,眼球の動きと文字盤を使用して意思疎通を行

う場合,日常の介護で使用しているヘルパーの方がスムーズに行えます.このような支援者が入院中にも支援することで,入院先医療機関の負担が軽減され,患者受け入れのハードルが下がります.

重度訪問介護とは,障害福祉サービス制度の1つで障害支援区分4以上の人が利用できます.重度訪問介護は24時間連続介護が可能な制度ですが,利用時間に関しては市町村が利用者の障害程度などを考慮して決定します.介護保険サービスとの併用も可能な場合もあるので,重度障害を持つ患者マネジメントでは利用の検討をお勧めします.

退院前 or 退院時 ──退院後の利用者を多職種で支えるための作戦会議──

入院している利用者は一刻も早く自宅に帰りたいと心で願いつつも,自宅での療養生活に不安があると家に帰るとは決断できないものです.この不安を解消する方法の1つに,利用者自身が自宅でどのような療養生活を送るのかをイメージできるまで説明することがあります.

退院前に行われるカンファレンスでは,入院先の医療機関と自宅療養生活を支援する在宅医療・介護側が一堂に集まるため,多職種間の初顔合わせの場にもなります.初診前につながっておくことで,必要な準備があった場合もスムーズに行えます.このカンファレンスは,単なる申し送りの場というだけではなく,利用者の自宅療養の不安を解消するためのものです.「自宅の浴室は狭いが,退院しても入浴はできるのか？」,「夜間に体調が悪くなったときは,誰がどう対応してくれるのか？」というような,利用者と家族の心配や不安を払拭し,退院後の生活をイメージしてもらえるまで多職種で話し合い,説明していきましょう.

退院前に行うカンファレンスには,多職種の参加を促すための診療・介護報酬が設けられています（表8-2）.

院 入院医療機関

退院時共同指導料2 400点

利用者の入院先医療機関の医師または医師の指示を受けた看護師等が,退院後の療養生活を支援する医療機関などに対して,在宅療養上必要な説明や指導を行って,その内容を文書にして提供した場合に算定できる報酬です.

1人につき1回算定可能ですが,厚生労働大臣が定める疾病等（特掲診療料の施設基準等別表第3の1の3,p.62参照）に該当する利用者の場合はカンファレンスを2回以上行った場合は2回まで算定できます.2回のうち1回は,入院医療機関・在宅側それぞれの医師・看護師・准看護師が共同して指導を行う必要があります.

① 医師共同指導加算 300点

カンファレンスに入院医療機関と在宅療養を支援する医師が参加し,共同で指導した場合に退院時共同指導料2に加算される報酬です.

② 多機関共同指導加算 2,000点

入院医療機関の医師または看護師等が,退院後の在宅療養を支援する医師・看護師等・歯科医師・歯

表 8-2　退院前のカンファレンスの算定要件等

	報　酬	加　算	要　件	職　種	2 回算定できる場合	その他
入院医療機関	退院時共同指導料 2	医師共同指導加算 多機関共同指導加算	※ 同意と文書の提供が必要 転院や老健などの施設に入所した場合，また死亡退院した場合は対象外	医師，看護師等，薬剤師，管理栄養士，理学療法士等，社会福祉士	別表第 3 の 1 の 3 2 回のうち 1 回は医師，看護師，准看護師が共同して指導を行う	
在宅医	退院時共同指導料 1					
訪問看護ステーション	退院時共同指導加算	特別管理指導加算 （訪問看護ステーションの介護保険にはない）		看護師等（准看護師除く），理学療法士など	厚生労働大臣が定める疾病等別表第 7，厚生労働大臣が定める状態等別表第 8	老健・介護医療院の退所でも可能
医療機関からの訪問リハビリテーション	退院時共同指導加算			医師，理学療法士，作業療法士，言語聴覚士		
居宅介護支援事業所	退院・退所加算		情報提供だけでも算定可	ケアマネジャー	カンファレンスに参加すると 3 回まで算定可	

入院側，在宅側，訪問看護ステーションが同法人，開設者や代表者が同一などの特別の関係でも算定可能です.
New ※ 2024 年改定で，訪問看護ステーションの介護保険では，指導内容を文書以外の方法でも提供可能になりました.

科衛生士・薬局の薬剤師・訪問看護ステーションの看護師等（准看護師は除く），理学療法士・作業療法士・言語聴覚士・ケアマネジャー・相談支援専門員のいずれか 3 者以上が参加して，共同で指導を行った場合に退院時共同指導料 2 の加算として算定できます（図 8-4）.

医　在宅医

退院時共同指導料 1　1,500 点 or 900 点

　退院後の自宅療養を支援する医療機関が算定します. 在宅療養支援診療所とそれ以外の場合で報酬が異なります.
・在宅療養支援診療所の場合　　1,500 点
・在宅療養支援診療所以外の場合　900 点

〈算定ポイント〉
・入院中 1 回に限り算定.
・厚生労働大臣が定める疾病等（特掲診療料の施設基準等別表第 3 の 1 の 3，p.62 参照）

に該当する利用者の場合は 2 回算定可能.
・厚生労働大臣が定める状態等別表第 8 に該当する利用者の場合は，特別管理指導加算の算定が可能.
・往診料，在宅患者訪問診療料との同日算定は不可.
・利用者の看護を担当する者（家族や看護を担当する者など）に対して指導を行った場合も算定可.
・カルテには要点を記載，または文書の写しを添付する.
・他の医療機関や社会福祉施設，介護老人保健施設に入院，入所する利用者，死亡退院した利用者の場合は算定不可.
・指導した内容等を利用者に文書で渡す.

① 特別管理指導加算　200 点
　厚生労働大臣が定める状態等別表第 8 に該当する利用者の場合，退院時共同指導料 1 に加算します.

図 8-4　多職種で行う退院前カンファレンス

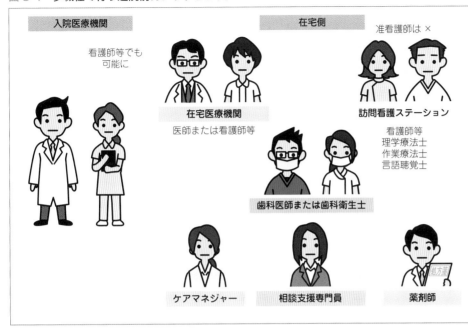

ビデオ通話による参加も可能

医療機関や訪問看護ステーションが入院医療機関で行われるカンファレンスに参加できない場合には，ビデオ通話が可能な機器を用いて参加しても，退院時共同指導料を算定できます．

看 訪問看護ステーション

　訪問看護ステーションの場合，退院前カンファレンスの報酬は単独の報酬ではなく，訪問看護療養費や訪問看護費の加算として扱われています．そのため，退院前カンファレンスに参加しても，参加した日ではなく退院後の初回の訪問看護の日に算定します．

医療保険

① 退院時共同指導加算　8,000 円

　訪問看護管理療養費の加算（8,000 円）として算定します．

　医療機関や介護医療院，介護老人保健施設からの退院・退所の際に看護師等（准看護師が行った場合は算定不可）が，主治医や医療機関などの職員とともに利用者や介護をする家族などに対して，在宅療養に必要な指導を行った場合に算定できます．指導した内容を文書にして，利用者に提供する必要があります．算定するのは，初回の訪問看護実施日です．

　通常，2 回以上行っても，1 利用者に対して 1 回しか算定できませんが，厚生労働大臣が定める疾病等別表第 7 と厚生労働大臣が定める状態等別表第 8 に該当する利用者に対して，2 回以上行った場合（同日 2 回は不可）には 2 回まで算定できます．

② 特別管理指導加算　2,000 円

　厚生労働大臣が定める状態等別表第 8 の利用者に対して，指導を行った場合に加算できます．この加算は医療保険のみで，介護保険にはありません．

〈算定ポイント〉

・医療機関だけでなく，介護医療院・介護老人保健施設からの退院・退所の際にも算定可能．

・准看護師が行った場合は算定不可．

・算定するのは初回の訪問看護時．

・指導内容を文書にして，利用者に提供する必要あり．

・厚生労働大臣が定める疾病等別表第 7 と厚生労働大臣が定める状態等別表第 8 に該当する利用者に対して複数日に指導した場合，2 回まで算定可能．

・厚生労働大臣が定める状態等別表第 8 に該当する利用者には，特別管理指導加算も算定可能．

介護保険

③退院時共同指導加算　600 単位

　訪問看護費の加算として算定（1 回 600 単位）します．医療保険の場合と同じように，医療機関や介護医療院，介護老人保健施設からの退院・退所の際に看護師等（准看護師が行った場合は算定不可）が，主治医や医療機関などの職員とともに利用者や介護をする家族などに対して，在宅療養に必要な指導を行った場合に算定できます．指導した内容を利用者に提供する必要があります．

　厚生労働大臣が定める状態等別表第 8 の利用者に 2 回以上（同日 2 回は不可）行った場合は 2 回まで算定できます．

　算定するのは，初回の訪問看護実施日ですが，初回加算を算定する場合は，退院時共同指導加算は算定できません．

New 医リハ 医療機関からの訪問リハビリテーション

介護保険

①退院時共同指導加算　600 単位 / 回

　2024 年の改定で新設された加算で，訪問リハビリテーションを行う医療機関の医師，理学療法士，作業療法士，言語聴覚士のいずれかの退院前カンファレンスへの参加が必須です．利用者や家族に対して，病院・診療所の主治医等と利用者の状況などの情報を相互に共有した上で，在宅リハビリテーションに必要な指導を共同して行い，その内容を在宅リハビリテーション計画に反映し，初回の訪問リハビリテーションを行った場合に 1 回算定できます．

C 居宅介護支援事業所

　ケアマネジャーが退院前カンファレンスに参加した場合，退院・退所加算が算定できます．カンファレンスに参加せず，医療機関から情報提供を受けただけでも算定可能です．情報提供の回数やカンファレンスに参加した場合によって報酬が異なります（表 8-3）．

表 8-3　ケアマネジャーが退院前カンファレンスに参加した場合の退院・退所加算

（I）イ	医療機関・介護施設の職員から利用者に関する必要な情報提供を 1 回受けた場合に算定	1 回につき 450 単位
（I）ロ	カンファレンスに参加した場合はロを算定	1 回につき 600 単位
（II）イ	医療機関・介護施設の職員から利用者に関する必要な情報提供を 2 回受けた場合に算定	1 回につき 600 単位
（II）ロ	1 回はカンファレンスに参加した場合はロを算定	1 回につき 750 単位
（III）	医療機関・介護施設の職員から利用者に関する必要な情報提供を 3 回受け，うち 1 回はカンファレンスに参加した場合	1 回につき 900 単位

退院後自宅にて ―不安のない療養生活を送るための支援を―

　利用者が退院した日から生活が落ち着くまでのしばらくの間は，手厚い支援を行いましょう．医師や看護師が常にそばについている病院から，家族しかいない自宅に戻るとなると利用者と家族は，何もなくても不安になるものです．そのため，退院当初は訪問診療や訪問看護の回数を通常より多めに設定します．そして，利用者や家族が療養生活に慣れてきたら，徐々に訪問回数を減らしていきましょう．

　原則として，退院日には訪問看護は行えませんが，例外的に訪問できるケースがあります．

変更 看 訪問看護ステーション

医療保険

退院支援指導加算　6,000 円
長時間　8,400 円

・厚生労働大臣が定める疾病等別表第 7（p.11 参照）の利用者．
・厚生労働大臣が定める状態等別表第 8（p.12 参照）の利用者．

・主治医より退院日の訪問看護が必要と認められた利用者．

上記の利用者に対して，<u>退院日に訪問した場合に算定</u>できます．ただし，准看護師による訪問では算定できません．

長時間の 8,400 円については，退院日に次のいずれかに該当する利用者に 90 分を超える訪問看護を実施した場合に算定しますが，2024 年の改定で複数回の退院支援指導の合計時間が 90 分を超えた場合にも算定できるようになりました．
・15 歳未満の超重症児・準超重症児（p.77 参照）
・厚生労働大臣が定める状態等別表第 8（p.12 参照）
・特別訪問看護指示期間（p.82 参照）

介護保険

主治医が退院日の訪問看護が必要と認める利用者と厚生労働大臣が定める状態等別表第 8（p.12 参照）に対して退院・退所日に訪問した際に訪問看護費が算定できます．准看護師の場合は 10% 減算して算定します．

医　在宅医

可能な限り，退院日に診療に行き，利用者や家族に不安や困りごとがないか確認しましょう．手厚いケアが必要なときは，特別訪問看護指示を出して訪問看護に頻回に入ってもらいます．

院　入院医療機関

利用者が退院した後にも安心して療養生活が送れるように，入院医療機関の看護師等が利用者の自宅を訪れて環境整備や療養上の指導などを行った際に算定できる診療報酬があります．それが，退院前訪問指導料と退院後訪問指導料です．

退院前訪問指導料　580 点

入院期間が 1 ヵ月を超えると見込まれる利用者に対して，入院中や外泊時，退院日に患家を訪問して，利用者や家族等に対して，退院後の療養に必要な指導を行った場合に退院日に算定できます．

退院後訪問指導料　580 点

厚生労働大臣が定める状態等別表第 8 に該当する利用者，認知症患者または認知症の症状があり，日常生活を送る上で介助が必要な利用者に対しては，退院後 1 ヵ月以内に限り 5 回まで算定できます．<u>ただし，退院日には算定できません</u>．また，利用する訪問看護ステーションや他の医療機関の訪問看護師と同行して指導を行った場合には訪問看護同行加算（20 点）を 1 回限り加算できます．

 利用者が入院する日に訪問看護を行ったら，診療報酬・介護報酬はどうなる？

退院日の訪問看護は例外的に認められる場合がありますが，では，入院する日はどうでしょう？医療保険と介護保険で異なります．
医療保険
原則，算定できません．訪問看護の後，利用者が緊急入院した場合のみ算定可能です．

介護保険
ケアプランに位置づけられた訪問看護は算定可能です．ただし，入院・入所日に目的もなく単に訪問看護を組み込むという場合は適切ではありません．状態が不安定な利用者さんに入院直前の看護が必要だからといった目的での訪問看護利用が望ましいようです．

退院後 1ヵ月以内には，利用者を見守るための特例があります

在宅療養を開始したばかりの利用者とご家族は不安でいっぱいです．その不安を取り除き，利用者と家族が安心して在宅療養を継続できるよう，退院後 1ヵ月の間は手厚いケアを促進するための特例がいくつかあります．在宅医療導入時の利用者にはできるだけ訪問頻度を上げ，療養生活が安定した頃を見計らって徐々に訪問頻度を下げていくなど，これらの制度を患者マネジメントに活用しましょう．

退院後 1ヵ月以内，退院月の特例

- 同一法人や開設者が同じなどの特別の関係の医療機関の訪問診療と訪問看護ステーションからの医療保険の訪問看護の同日算定が可能．
- 医療保険の訪問看護で，入院医療機関の訪問看護と訪問看護ステーションの訪問看護の同日算定が可能．

　　通常なら同日算定ができないケースが，退院後 1ヵ月以内なら可能になります

- 通常では 1 つの医療機関しか算定できない在宅療養指導管理料が退院月のみ 2 つの医療機関で算定可能．
- 「退院直後」という理由で特別訪問看護指示が出せる．
- 入院医療機関からの退院後訪問指導料が（p.125 参照）算定できる．
- 在宅移行管理加算の算定ができる．
　医療機関からの訪問看護で在宅患者訪問看護・指導料等の加算で，厚生労働大臣が定める状態等別表第 8 の利用者に訪問看護を行った場合，退院から 1ヵ月に 1 回算定できる（重症度が高いもの 500 点／左記以外 250 点）．

退院後 3ヵ月以内の特例

- 退院後 3ヵ月は，在宅移行早期加算の算定（p.62 参照）ができる．
- 医療機関からの訪問リハビリは週 12 単位（回）算定できる．
- 退院後 3ヵ月間は，短期集中リハビリテーション実施加算が算定できる．
　医療機関からの訪問リハビリで，訪問リハビリテーション費（介護保険）の加算（200 単位／日）．

利用者の自宅で行う多職種カンファレンスの診療報酬

利用者が自宅で療養している場合でも，利用者の状態の急変，診療方針が変更になる場合などには，利用者に関わっている専門職が集まりカンファレンスを開くことがあります．このときに主治医が算定できる診療報酬が，在宅患者緊急時等カンファレンス料です．

また，利用者の自宅に来られない専門職がビデオ通話で参加した場合でも算定できるようになりました．

在宅患者緊急時等カンファレンス料　200点

　利用者の状態の急変や診療方針の変更によるカンファレンスであることが算定要件です．単なるサービス担当者会議では算定できません．参加専門職が，同法人などの特別の関係にある事業所の職員であっても算定可能です．カンファレンスは原則，参加する専門職が利用者の自宅を訪れて行いますが，参加できない場合，ビデオ通話が可能な機器を用いての参加でも算定できるようになりました（図8-5）．

〈算定のポイント〉

・指導とは別に継続的に実施している訪問診療を，指導を行った日と同一日に行う場合は，在宅患者訪問診療料との併算定は可能．

・原則として利用者の自宅で行うが，利用者または家族が自宅以外の場所でのカンファレンスを希望する場合は利用者の自宅以外で行っても算定可能．

・算定要件となる職種は次の通り．
①歯科医師・歯科衛生士，②薬局の薬剤師，③訪問看護ステーションの看護師等（准看護師は除く）・理学療法士・作業療法士・言語聴覚士，④ケアマネジャー，⑤相談支援専門員．

・上記のうち1者以上と連携し，利用者の在宅療養を支援する医師を含む2者以上で利用者の自宅を訪れ，共同でカンファレンスを行った場合に算定可能．

・月2回まで算定可能．

在宅患者緊急時等カンファレンス加算

　医療保険の訪問看護を行っている利用者が状態悪化などによってカンファレンスが行われる場合に加算されます．

〈算定のポイント〉

・准看護師のみが参加した場合は算定不可．

・算定するには，参加専門職種には主治医が算定する在宅患者緊急時カンファレンス料と同じルールあり．
算定要件となる職種は次の通り．
①在宅医，②歯科医師・歯科衛生士，③薬局

の薬剤師，④ケアマネジャー，⑤相談支援専門員．

・月2回まで算定可能．

訪問看護ステーション

・医療保険の訪問看護管理療養費の加算（1回2,000円）として算定．

・複数の訪問看護ステーションが参加した場合でも，それぞれが算定可能．
ただし，複数の訪問看護ステーションのみが参加した場合では算定不可．

・主治医と2者によるカンファレンスでも算定可能．

医療機関からの訪問看護

・在宅患者訪問看護・指導料の加算（1回200点）．

・利用者が同一建物居住者の場合は，同一建物居住者緊急時等カンファレンス加算（1回200点）を

加算する．

・医療機関の医師と2者で行った場合も算定できるが，同じ医療機関同士では算定不可．

ケアマネジャーが算定

緊急時等居宅カンファレンス加算　200単位

　病院や診療所の求めによって，病院またや診療所の医師や看護師と利用者宅を訪問してカンファレンスを行い，その結果，居宅サービスや地域密着型サービスを調整することになった場合に算定します．ケアマネジャー側がカンファレンス開催を求めた場合は算定できません．

ビデオ通話によるカンファレンスでも診療報酬が算定できる？

　ビデオ通話によるカンファレンスは（図8-5），前回2022年の診療報酬改定で大幅に緩和されました．

　以前はカンファレンスに3者以上が参加し，その3者のうち2者が利用者の居宅に赴く必要があったのですが，これらは撤廃され，カンファレンスに参加する人数に指定はなく，「1者以上が利用者の居宅に赴けば」，ビデオ通話によるカンファレンスでも診療報酬が算定できるようになりました．

　また，へき地など医療資源が少ない地域の医療機関に対するビデオ通話によるカンファレンスの制限も撤廃されています．

図8-5　ビデオ通話によるカンファレンスのイメージ

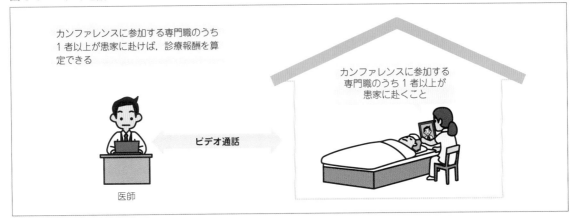

章末問題

▶答えは◯か✕で答えてください

問 8-1

退院時共同指導料の算定には，指導した内容等を患者に文書で渡すという要件がある．

問 8-2

入院する日は，原則医療保険からの訪問看護の算定はできないが，訪問看護の後，患者が緊急入院した場合のみ算定ができる．

問 8-3

訪問看護情報提供療養費3は，入院・入所する医療機関などが訪問看護ステーションと特別な関係にある場合や，主治医が所属する医療機関である場合でも算定できる．

問 8-4

退院時は，例外なく訪問看護は行えない．

問 8-5

外泊時に訪問看護を行って訪問看護基本療養費Ⅲを算定できるのは，「厚生労働大臣が定める疾病等別表第7」と「厚生労働大臣が定める状態等別表第8」に該当する者のみである．

問 8-6

要介護認定を受けている入院中の患者が，外泊時に訪問看護を利用する場合，介護保険で算定する．

問 8-7

ケアマネジャーが算定する退院・退所加算は，カンファレンスに参加せず，医療機関から情報提供を受けた場合でも算定できる．

問 8-8

在宅医は，状態の急変や診療方針の変更によるカンファレンスでは，在宅患者緊急時等カンファレンス料が月1回のみ算定できる．

問 8-9

在宅患者緊急時等カンファレンス料は，利用者の状態の急変や診療方針の変更によるカンファレンス，サービス担当者会議で算定できる．

▶解答&解説はp.147

問 8-10

緊急時等居宅カンファレンス加算は，ケアマネジャー側がカンファレンス開催を求めた場合でも算定できる．

問 8-11

退院時共同指導料 1，2 ともに 1 人の患者につき入院中 1 回しか算定できないが，「厚生労働大臣が定める疾病等（特掲診療料の施設基準等別表第 3 の 1 の 3)」に該当する患者では 2 回算定できる．

問 8-12

退院時共同指導料 1 は入院医療機関が，退院時共同指導料 2 は在宅療養を担う医療機関が算定する．

問 8-13

退院時共同指導料 1 の特別管理指導加算は，患者が「厚生労働大臣が定める状態等別表第 8」に該当する場合に算定できる．

問 8-14

退院時共同指導料 1 は，転院や死亡退院した場合も算定できる．

問 8-15

退院時共同指導料 2 には，医師共同指導加算がある．

問 8-16

退院時共同指導料 2 の多機関共同指導加算では，入院医療機関側の参加者は医師でなければならない．

問 8-17

居宅介護支援事業所の入院時情報連携加算（Ⅰ）は，入院後 3 日以内に入院医療機関の職員に対して利用者情報を提供した場合に算定できる．

問 8-18

居宅介護支援事業所の入院時情報連携加算（Ⅱ）は，入院後 7 日以内に入院医療機関の職員に対して利用者情報を提供した場合に算定できる．

問 8-19

訪問看護ステーションの退院時共同指導加算は，准看護師だけが退院前カンファレンスに参加した場合には算定できない．

▶解答&解説はp.147

問 8-20

訪問看護ステーションの看護師が，「厚生労働大臣が定める状態等別表第8」の患者の退院前カンファレンスの参加した場合，特別管理指導加算も算定できる.

問 8-21

社会福祉士は，入院医療機関・在宅医療を行う医療機関ともに退院時共同指導料が算定できる職種に含まれている.

問 8-22

退院時共同指導料1の算定要件に入る職種には，相談支援専門員も含まれる.

問 8-23

入院医療機関が患者の入院中に算定できる介護支援等連携指導料の算定要件に入る職種には，ケアマネジャーだけでなく相談支援専門員も含まれる.

問 8-24

退院前カンファレンスに参加する職種で，退院時共同指導料の算定要件に入る職種には管理栄養士は含まれない.

問 8-25

在宅患者緊急時等カンファレンス料は原則患家を訪れて行うが，1者以上が患家に赴けば，ビデオ通話が可能な機器を用いての参加でも算定できる.

問 8-26

入院医療機関は，退院した患者が「厚生労働大臣が定める疾病等別表第7」に該当する場合，退院後訪問指導料が算定できる.

問 8-27

入院医療機関は，「厚生労働大臣が定める状態等別表第8」に該当する利用者，認知症患者または認知症の症状があり，日常生活を送る上で介助が必要な利用者に対しては，退院後訪問指導料を退院後1ヵ月以内に限り5回まで算定できる.

問 8-28

2024年の改定では，医療機関が行う訪問リハビリテーションに医療保険の退院時共同指導加算が新設された.

▶解答&解説はp.147

問 8-29

訪問看護ステーションの退院支援指導加算では，90分を超える訪問看護を実施した場合を評価する長時間加算があるが，2024年の改定では複数回訪問時間を合算して90分を超える場合も算定できるようになった．

▶解答&解説はp.147

ちょっとBreak!　人生会議を在宅医療で実現しよう！

　誰でもいつ何時，命に関わるよう病気になったり，ケガをするかもしれません．命に危険が迫った状態では約7割の方が医療やケアなどについて，自分の意思を伝えられなくなるといいます．希望する医療やケアを受けるためには，常日頃から「自分が大切にしていること」や「誰と」，「どこで」，「どのように暮らしたいか」を考え，周囲の信頼する人たちと話し合っておくことです．このように本人や家族・友人等，医療・ケアチーム等と繰り返し話し合い共有する取組みを，厚生労働省は「人生会議」と名付け，推進しています．日本が80歳以上の高齢の死亡者が爆発的に増えていく「多死社会」を迎えるなか，「治す」ことを追求して発展してきた日本の医療に対して，皆が亡くなるまで治し続ける最期で良いのかという命題が突きつけられているのです．

　新型コロナウイルス感染症では，軽症で終わる人も多くいましたが，肺炎で重症化した患者の20%が死亡，そして人工呼吸器をつけるまで悪化した場合，若い人も含めて70%が死亡するという時期があり，リスクの高い在宅患者は戦々恐々としていました．もし，在宅患者が感染し，人工呼吸器をつけるほどに重症化した場合，亡くなる可能性が非常に高まります．それでも人工呼吸器を着けるのか？それとも着けないままで看ていくのか？　また，コロナ前であれば，肺炎などで急変したがん末期の在宅患者には，入院加療して自宅に戻るという選択肢がありましたが，コロナ禍では入院すれば感染のリスクが高まり，家族とも自由に面会できなくなるという現実がありました．そのため，入院するのか，このまま自宅で看取るのか？を選択をしなければなりませんでした．患者さんもご家族も否応なしに「死に向き合い，どう生きて，どのような最期を迎えるのか」を考えなければならなかったのです．

　新型コロナウイルスとの戦いは，自分自身がどう生きるのかを問う「人生会議」の問題でもありました．このような経験を経たことで，ポスト新型コロナとなった現在，「どう生きて，どこでどのような最期を迎えるのか」を考えることは，より身近になってきているのでないでしょうか．

　病気や治療の話というと，「早く決めなければならない」と思いがちですが，この「人生会議」で大切なことは日々の会話です．「決めなくてもいいからいっぱい話をしよう」ということなのです．どこで死にたいか，病気になった時にどうしたいかなどの重い話ばかりするのではなく，自分の好きなものや大切にしていることなど，自分の思っていることを大切な人に伝えておくことが大事です．笑顔でいろんな話をしてください．結論を急ぐことはありません．何回変わっても，迷っても良いのです．そうすることで，予期しないことや自分らしさを見失いそうな時に，みんなで納得しながら選択していくことができると思います．元気なうちから，いっぱい話をしていきましょう．そんな「人生会議」を在宅医療で実現していきましょう．

第 9 章

人生会議と看取り

人生会議と看取り

ここで
学ぶこと

▶ 終末期における意思決定支援のプロセス「人生会議」の意義と支援のポイント

▶ 自宅で患者を看取った場合の各種加算について

▶ 末期がん患者を対象とした報酬，在宅がん医療総合診療料について

　意思決定支援に欠かせない，「人生会議」とは

人生会議がなぜ大切なのか？

　全国に在宅医療や自宅での看取りを普及させるためには，「自宅看取りの質を向上させること」が重要だと私は考えています．普及させるなら，単に看取り数を増やせばいいのでは？と考えがちですが，看取りは一人一人にとってかけがえのない大切なものです．それを「数」として追いかける在宅医療であったなら，国民からは逆に不興を買ってしまうことになるでしょう．

　大切にしなければならないのは質，満足度です．「安らかな最期を迎えられてよかった．私もあんなふうに自宅で亡くなりたい」と患者の家族や周りの人に思ってもらえる看取り，亡くなっても，その死に納得できる看取りを実現すること．そして，それを広く国民に知ってもらえるように努力することが，一見遠回りのようで普及のための最良の方法だと考えています．

　この「納得できる看取り」に至るために欠かせないプロセスが人生会議（ACP/ アドバンス・ケア・プランニングの愛称）なのです．人生会議とは，終末期にどこで，どのような医療やケアを受け，どのように過ごしたいかということを前もって患者本人・家族と医療・ケアチームが繰り返し話し合い，

共有していく取組みのことです．

　厚生労働省は 2018 年に人生会議の合意形成のプロセスを示すものとして「人生の最終段階における医療・ケアの決定プロセスに関するガイドライン」を公表しました（図 9-1）．国は，在宅患者の終末期のケアに人生会議が欠かせないと考え，在宅ターミナルケア加算（p.137 参照）の算定要件にも，このガイドラインの内容を踏まえた対応を行うことを盛り込んでいます．また，2022 年の診療報酬改定では，在宅療養支援病院（在支病）・在宅療養支援診療所（在支診）の施設基準にも「適切な意思決定支援に関する指針を定めていること」が追加されました．これは，在宅患者に対してきめ細かな対応が求められる分，一般の病院や診療所よりも高い診療報酬が算定できる在支病・在支診に対して，質の高い患者の意思決定支援をしっかりと実施するよう求められたことを意味します．

　しかし，算定に必要だから行うのではなく，看取りの質を向上させるためにこそ，この人生会議を行いたいものです．

　時々，人生会議をどのタイミングで開いたらいいのかわからないという声を聞きますが，人生会議にタイミングはないと私は考えています．むしろ，「毎回の診療が人生会議だ」という覚悟で患者や家

図9-1 人生の最終段階における医療・ケアの決定プロセスに関するガイドラインのチャート図

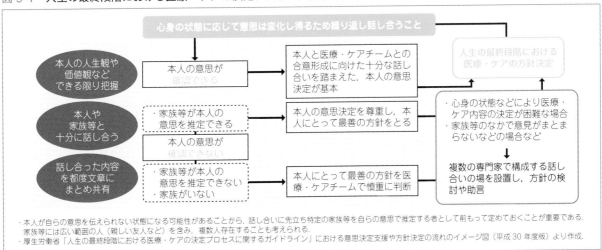

族と向き合い，彼らの人生観や価値観への理解を深めたり，今後の希望についての話し合いを重ねています．

意思決定支援に大切な 5つのポイントとは？

私には，患者の意思決定支援を行う上で大事だと考えている5つのことがあります．ガイドライン公表以前から取り組んでいたことですが，ガイドラインの内容にも合致しています．人生会議を行う際に参考にしていただければと思います．

意思決定支援で大切な5つのポイント

①家族だけでなく患者本人の意思を最優先にすること．
②考え得るすべての選択肢を提示すること．
③その時点で関係するすべての人と十分に議論すること．
④決断に迷う当事者に寄り添い，決断は変わって良いことを伝えること．
⑤結果ではなく過程を大切にすること．

① 家族だけでなく患者本人の意思を最優先にすること

患者本人の意思が最優先です．しかし，認知症などで本人が話せない時はどうするべきでしょう？往々にして，家族の意向を聞いてしまいがちですが，「本人が正常に判断できたら何というか，どう生きたいと思うか」と家族に考えてもらうよう支援することです．家族は「長生きしてほしい」と思うかもしれません．しかし，その命は本人のものです．人生観や価値観，本人の思いをよく知る家族が，本人に代わって何を望むのかに思いを馳せて考えてもらうのです．「本人が望んでいたとおりにしてあげられた」と考えるほうが家族も楽だと思います．

② 考え得るすべての選択肢を提示すること

患者がその時点で選択できる「すべての選択肢」のメリット・デメリットを説明します．日本の現代医療では，最期まで治し続ける医療が主体でした．しかし，今では国も「治す医療」から「支える医療」への変換を進めています．高齢者のなかには「もう十分生きたし，治療でつらい思いをしたくない．食べたいものを食べて，楽に死にたい」という人も少なくありません．「やらない」という選択も1つの権利だと思います．人によって，その人の最善は異なります．一人一人の最善が違うからこそ，すべて

の選択肢を提示し，その人にとっての最善の選択を一緒に探すことが大切です．

③その時点で関係するすべての人と十分に議論すること

親族のなかで一番の決定権を持つキーパーソンが抜けていたり，話し合いに参加していなかった人が後になって「私はそんなことを聞いていない」といったりするようなことがあると，話し合いで決まったことが実現できなくなり，後悔が残ることになりかねません．その時，その場にいた人だけで話し合うのではなく，患者に関わるすべての人を巻き込んで，人生会議や意思決定を行うことです．

④決断に迷う当事者に寄り添い，決断は変わって良いことを伝えること

大事な命をどうするのか？という大きな決断をしなければならない時，当事者である本人も家族も迷うのは当然のことです．決断は何度変わったっていい，「悩んでいいんですよ」としっかり伝えること

です．支援する専門職も本人・家族と一緒に繰り返し悩んで迷って考えていく．点滴はしないといっていた人が点滴をしたいといった時に「前に点滴はしないといっていたじゃない」ではなく，「いいんですよ．揺れ動くのは当然です」と，何回も何十回も変わってもいいから，一緒に考えるスタンスが大事なのです．大切なことは患者やご家族の揺れる気持ちに寄り添うことです．「迷ってもいい」という声かけをしてあげてください．

⑤結果ではなく過程を大切にすること

大切なのは結果ではなく，このように本人や家族と一緒になって悩んだ過程です．この過程を経ることで，患者が亡くなった後に家族が選択に後悔した時に「あれだけ一緒に悩んで選択したんです．これが正解だったんですよ」と声をかけることができます．何が正解かは誰にもわかりません．それでも一緒に悩んだというプロセスがあるからこそ，「これでよかったのだ」と言葉をかけることができ，その言葉で家族も肩の荷が降ろせるのです．

自宅で看取った場合に医療機関が算定する加算

New 患者が最期まで自宅で過ごすためには，肉体的・精神的な苦痛を和らげたり，家族のサポートをしたりと医療だけでなく手厚いケアが必要になります．そのような終末期の手厚い医療やケアを評価した診療報酬があります．

自宅で患者を看取った場合の加算として，従来より訪問診療料には看取り加算，死亡診断加算，在宅ターミナルケア加算がありましたが，2024年の改定で往診料にも看取り加算，在宅ターミナルケア加算が算定できるようになりました．併算定できない加算があるのでしっかり区別して覚えましょう（図9-2）．

New ### 看取り加算　3,000点

在宅患者訪問診療料の場合，自宅で不安なく過ごせるように，患者や家族に十分な説明やサポートなどを実施するとともに，死亡日当日に往診または訪問診療を行って，患者を患家で看取った場合に算定できます．往診料の場合でも，自宅で不安なく過ごせるように患者や家族に十分な説明やサポートを実施し，死亡日前14日以内に退院時共同指導を行った上で死亡日に往診を行い，患者を自宅で看取った場合に算定します．その際の診療内容の要点をカルテに記載することも必須です．

在宅がん医療総合診療料（p.139参照）と在宅ターミナルケア加算との併算定が可能です（図9-2）．

死亡診断加算　200点

往診料・在宅患者訪問診療料・在宅がん医療総合診療料の加算になります．死亡日当日に往診または訪問診療を行い，死亡診断を実施した場合に算定できます．在宅ターミナルケア加算・看取り加算との併算定は不可です（図9-2）．

New ## 在宅ターミナルケア加算

在宅患者訪問診療料と往診料の加算です．在宅患者訪問診療料では死亡日および死亡日前14日以内の計15日間に2回以上の往診または訪問診療を実施した場合，または退院時共同指導を行った患者に算定できます（図9-3）．往診料では，死亡日および死亡日前14日間の計15日間に退院時共同指導を行った上で往診した患者が在宅で死亡した場合に算定できます（図9-3）．往診や訪問診療の後に救急搬送され，病院など自宅以外の場所で24時間以内に死亡した場合も算定可能です．

在宅患者訪問診療料，往診料ともに算定の要件に人生会議の実施があり，患者の終末期の医療やケアのあり方を患者本人，家族と話し合い，患者の意思決定を基本として多職種で支援し，その内容をカルテに記載する必要があります．意思決定支援は，厚生労働省の「人生の最終段階における医療・ケアの決定プロセスに関するガイドライン（p.135参照）」に沿って行います．

図9-2　在宅ターミナルケア加算・看取り加算・死亡診断加算の併算定の可否

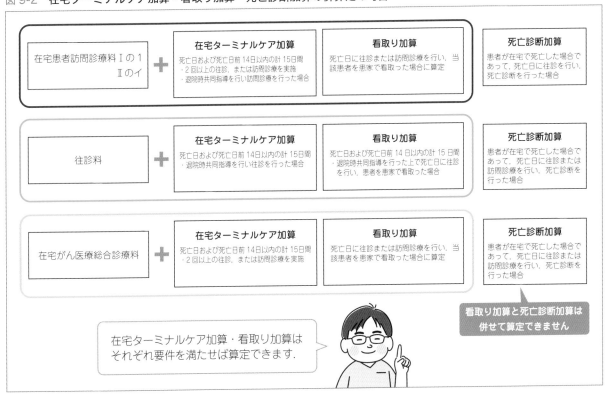

図 9-3　在宅ターミナルケア加算

	在支診・在支病なし	在支診・在支病	機能強化型在支診・在支病	
			病床なし	病床あり
在宅患者訪問診療料 I -1				
有料老人ホーム等に入居する患者以外の患者	3,500 点	4,500 点	5,500 点	6,500 点
有料老人ホーム等に入居する患者	3,500 点	4,500 点	5,500 点	6,500 点
在宅患者訪問診療料 II -イ	3,200 点	4,200 点	5,200 点	6,200 点
往診料	3,500 点	4,500 点	5,500 点	6,500 点

14日	13日	12日	11日	10日	9日	8日	7日	6日	5日	4日	3日	2日	1日	

在宅患者訪問診療料の場合
この 15 日間に 2 回以上の往診または訪問診療を実施，もしくは退院時共同指導を行い，訪問診療を行った場合に在宅ターミナルケア加算を算定できる

往診料の場合
この 15 日間に退院時共同指導を実施して往診を行った場合に在宅ターミナルケア加算を算定できる

死亡日

15 日間

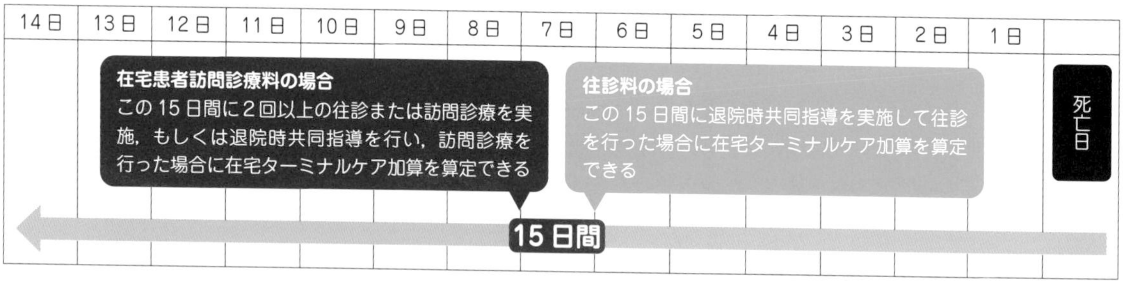

在宅看取りで訪問看護ステーションが算定できる報酬

　訪問看護ステーションからの訪問看護にもターミナルケアケアの報酬があります．医療保険は訪問看護ターミナルケア療養費という独立した報酬で，介護保険には訪問看護費の加算としてのターミナルケア加算があります．

医療保険

訪問看護ターミナルケア療養費1　25,000 円
訪問看護ターミナルケア療養費2　10,000 円

　算定するには，訪問診療同様に厚生労働省の「人生の最終段階における医療・ケアの決定プロセスに関するガイドライン（p.135 参照）」に沿った意思決定支援と他職種や関係者との連携が求められています．また，死亡日および死亡日前 14 日間以内に2 回以上の訪問看護を行う等の要件があります．訪問看護ターミナルケア療養費 1 は，在宅で死亡した患者と，特別養護老人ホーム等で死亡した患者に算定し，訪問看護ターミナルケア療養費 2 は特別養護老人ホーム等で亡くなった患者で，施設側が看取り介護加算等を算定している場合に算定します．

① 遠隔死亡診断補助加算　1,500 円

　訪問看護のターミナルケア加算には，遠隔死亡診断補助加算があります．これは医師が ICT を利用して死亡診断等を行う際に，看護師が情報通信機器を用いて医師の死亡診断を補助した場合に算定できるものです．この加算を算定できるのは，情報通信機器を用いた在宅での看取りに関わる研修を受けた看護師に限られています．

ターミナルケア加算　2,500 単位

医療保険同様に在宅で死亡した患者に対して，死亡日および死亡日前 14 日間に 2 日以上ターミナルケアを行った場合に訪問看護費に加算します．この加算は要介護者にしか適用されず，単位自体が区分

支給限度基準額の枠外のため，患者の介護保険利用限度に影響しません．また，訪問看護記録書に厚生労働省の「人生の最終段階における医療・ケアの決定プロセスに関するガイドライン」などの内容を踏まえた意思決定支援の内容を記録するなどの要件があります．2024 年改定で報酬が UP しました．

在宅がん医療総合診療料

在宅がん医療総合診療料（以下，がん医総）は，末期がんの患者を対象とした診療報酬で，在宅療養支援診療所，在宅療養支援病院が算定可能です（表9-1）．特徴としては，週 1 回以上訪問診療と訪問看護をそれぞれに行い，訪問診療と訪問看護の合計日数が週 4 日以上であれば，4 日しか訪問していなくても 7 日分算定できること（図 9-4）．そして，1 週間ごとの包括費用で，訪問診療・訪問看護・在

宅時医学総合管理料・在宅療養指導管理などの費用も包括されています．患者・医療機関にそれぞれにメリットとデメリットがあるため，それらを見極めて利用するかどうかを決めましょう．なお，たんぽぽクリニックでは，がん医総を算定する際には，事前に患者や家族に制度や費用の説明をして了解を取っています．

メリット

〈患者〉
・請求は医療機関からになり，訪問看護からの請求がなくなる．
・高額療養費制度は，診療のあった月の月初めから月末までの 1 ヵ月間に同一医療機関に支払った一部負担金が自己負担限度額を超えた場合が対象．そのため，訪問看護の費用が包括されることで，医療費が高額療養費の自己負担限度額の上限まで達すると，医療費を気にすることなく必要なだけ訪問診療や訪問看護を利用できる
〈医療機関〉
・同法人など特別の関係にある医療機関と訪問看護ステーションの場合，同日に訪問診療と医療保険の訪問看護を行えないというルール（同日に訪問しても一方しか算定できないという同日算定のルール）があるが，がん医総の場合は同日算定のルールに縛られない．
・訪問診療や訪問看護を行っていない日も算定できる．

デメリット

〈患者〉
・70 歳未満で所得が高い場合，高額療養費の自己負担額限度額も高くなるため，費用が高くなる．
・診療明細書に「在宅がん医療総合診療料」と記載され，告知を受けていない患者の場合には「がん」という文字が問題になる場合も．
〈医療機関〉
・訪問看護ステーションの訪問回数が多くなると医療機関の取り分が少なくなり，訪問診療を行った分を算定する通常の出来高での算定の方が，算定額が多くなる場合がある．
・医療処置などの管理料や薬剤，材料代も包括されている．
・利用に際しては，患者に制度や費用についての説明が必要になる．

図 9-4　在宅がん医療総合診療料算定の具体例

月	火	水	木	金	土	日
訪問看護	訪問診療		訪問看護		訪問看護	

在宅がん医療総合診療料は，訪問診療と訪問看護をそれぞれ週 1 回以上実施し，訪問診療と訪問看護の実施日数の合計が週 4 日以上であれば，4 日しか訪問していなくても 7 日分の算定ができます．
上記の場合，訪問診療 1 日，訪問看護は 3 日で計 4 日実施しているので，医療機関は 7 日分（12,586 点）が算定できます．

1,798 点（機能強化型在支診（病床あり）処方箋を交付する場合）× 7 日＝ 12,586 点となります．

 次のような場合は算定できません！

月	火	水	木	金	土	日
訪問診療	訪問診療		訪問診療		訪問診療	

訪問診療だけが 4 日実施され，訪問看護は実施されていないので算定不可です．

月	火	水	木	金	土	日
	訪問診療		訪問診療		訪問診療	
			訪問看護			

訪問診療は 3 日実施，訪問看護も 1 日実施されていますが，訪問診療と訪問看護が同じ日に実施された場合は 1 日とカウントされます！そのため，週に 3 日しか実施していないことになり，がん医総は算定不可となります．

変更 表 9-1　在宅がん医療総合診療料

❶ 機能強化型在宅療養支援診療所・在宅療養支援病院（病床あり）	
イ　院外処方箋を交付する場合	1,798 点
ロ　院外処方箋を交付しない場合	2,000 点
❷ 機能強化型在宅療養支援診療所・在宅療養支援病院（病床なし）	
イ　院外処方箋を交付する場合	1,648 点
ロ　院外処方箋を交付しない場合	1,850 点
❸ 在宅療養支援診療所・在宅療養支援病院	
イ　院外処方箋を交付する場合	1,493 点
ロ　院外処方箋を交付しない場合	1,685 点

点数は 1 日あたりで，
1 週間単位で算定します．
例）1 のイの場合
　　1,798 点× 7 ＝ 12,586 点
4 日しか訪問していなくても 7 日分算定するのが，がん医総の特徴です．

章末問題

▶答えは◯か✕で答えてください

問 9-1

厚生労働省が 2018 年 3 月に改訂版を公表した「人生の最終段階における医療・ケアの決定プロセスに関するガイドライン」に述べられている意思決定支援では，決断に迷う当事者（患者本人）に寄り添い，決断が変わらないよう励ますことを推奨している．

問 9-2

人生会議では，一度決めたことでも気持ちは変わり得るので，繰り返し話し合うことが大切である．

問 9-3

ガイドラインでは，施設患者が施設での看取りを希望された場合，施設看取り同意書の記入が求められている．

問 9-4

家族等のなかで意見がまとまらない場合や医療・ケアチームのなかで患者の心身の状態等により，医療・ケアの内容の決定が困難な場合等は，複数の専門家からなる話し合いの場を別途設置し，医療・ケアチーム以外の者を加えて方針について検討・助言を行う．

問 9-5

人生会議では，本人の意思が確認できたとしても，キーパーソンとなる家族の意向を大切に方針を話し合う．

問 9-6

最期に納得のいく意思決定支援で大切なことは，やはり結果である．

問 9-7

人生会議では，考え得るすべての選択肢を提示することが大切であり，「治療しない」という選択肢も含まれる．

問 9-8

在宅療養支援診療所・在宅療養支援病院の施設基準に「適切な意思決定支援に関する指針を定めていること」がある．

問 9-9

在宅ターミナルケア加算は，どの医療機関についても一律の点数が設定されている．

▶解答＆解説はp.147, 148

問 9-10

在宅がん医療総合診療料は，日曜から土曜のうち，訪問診療と訪問看護を合計3日間しか行わなかった場合でも，要件を満たせば7日分の算定ができる．

問 9-11

在宅がん医療総合診療料の対象者は通院困難な悪性腫瘍患者で，末期とは限らない．

問 9-12

在宅がん医療総合診療料の算定対象患者は，居宅で療養する通院困難な末期の悪性腫瘍で，医師や看護師の配置が義務付けられている施設の入所・入居者には算定できない．

問 9-13

在宅がん医療総合診療料の算定要件には，「主治医がケアマネジャーに対して患者の予後や想定される病状の変化などの情報を提供すること」が含まれている．

問 9-14

在宅ターミナルケア加算は，在宅患者訪問診療料にしか加算できない．

問 9-15

往診料でターミナルケア加算を算定する場合，死亡日および死亡日前14日以内の計15日間に計2回の往診を実施した場合に算定できる．

問 9-16

看取り加算は在宅患者訪問診療料でも往診料でも算定できる．

問 9-17

在宅患者訪問診療料と看取り加算，死亡診断加算は併算定できる．

問 9-18

往診料と在宅ターミナルケア加算，看取り加算は要件を満たせば併算定できる．

問 9-19

在宅ターミナルケア加算は，往診や訪問診療の後，病院に救急搬送されるなどして24時間以内に自宅以外で死亡した場合であっても算定が可能である．

問 9-20

訪問看護には，医療保険・介護保険ともにターミナルケアにかかる報酬がある．

▶解答&解説はp.147, 148

章末問題 解答&解説

第1章

1-1 答え **×** 1割ではなく2割

1-2 答え **×** 第1号被保険者, 第2号被保険者で要介護認定を受けた人のみ利用可能

1-3 答え **×** 市町村と東京23区（特別区）が保険者

1-4 答え **×** 一定以上の所得者は3割になる

1-5 答え **○**

1-6 答え **×** 診療報酬は2年ごと, 介護報酬は3年ごとに改定される

1-7 答え **○**

1-8 答え **○**

1-9 答え **○**

1-10 答え **×** 両側でないと該当しない

1-11 答え **○**

1-12 答え **○**

1-13 答え **×** 含まれない

1-14 答え **×**

1-15 答え **×** 療育手帳を入れた3種類がある

1-16 答え **○**

1-17 答え **○**

1-18 答え **×** 40歳未満はいかなる状態でも介護保険は利用できない

1-19 答え **×** 居宅介護支援事業所ではなく, 地域包括支援センター

1-20 答え **×** 市町村の指定を受けた居宅介護支援事業所でも作成可能

1-21 答え **×** 40歳以上の特定疾病に該当する者も申請可

1-22 答え **○**

1-23 答え **○**

1-24 答え **×**

1-25 答え **○**

1-26 答え **○**

1-27 答え **○**

1-28 答え **×** 65歳未満の者

1-29 答え **○**

1-30 答え **○**

第2章

2-1 答え **×** 性別でなく, 医療処置情報が必要

2-2 答え **×** 2割負担. もともと1割負担の人は1割

2-3 答え **○**

2-4 答え **×** 通院可能なら在宅医療の対象とならない

2-5 答え **○**

2-6 答え **○**

2-7 答え **×** 死亡日から遡って30日以内の患者も対象

2-8 答え **×** 配置医師以外は往診料が算定できる

2-9 答え **○**

2-10 答え **×** 往診料も算定できない

2-11 答え **×** 短期入所生活介護の場合は, 算定できる場合がある

2-12 答え **○**

2-13 答え **○**

2-14 答え **○**

2-15 答え **○**

2-16 答え **×** 訪問診療料も往診料も算定できない. ただし配置医師以外の往診料の算定は可能

2-17 答え **○**

2-18 答え **×** 退院日は除く

2-19 答え **○**

2-20 答え **×** 末期の悪性腫瘍患者や患者の死亡日から遡って30日以内の患者, 配置医師の専門外のもので配置医師の求めがある場合に限られる

2-21 答え **○**

2-22 答え ✕ 通院困難な者であれば訪問診療を受けられる

2-23 答え ◯ 「厚生労働大臣が定める疾病等別表第7」に該当する場合や急性増悪などで一時的に頻回の訪問看護が必要な場合

2-24 答え ✕ 短期入所療養介護では，どのような場合でも訪問看護は受けられない

2-25 答え ✕ 週に3回まで算定可

2-26 答え ✕ 「厚生労働大臣が定める疾病等別表第7」に該当した場合

2-27 答え ◯

2-28 答え ◯

2-29 答え ✕ 2級11点，3級7点で合わせて18点になり，1級になる

2-30 答え ◯

2-31 答え ◯

第3章

3-1 答え ✕ 16km以内

3-2 答え ◯

3-3 答え ✕ 1回まで

3-4 答え ✕ 「厚生労働大臣が定める疾病等別表7」と急性増悪時は毎日可能

3-5 答え ✕ 1日に1回

3-6 答え ✕ 「厚生労働大臣の定める疾病等別表7」も制限がない

3-7 答え ◯

3-8 答え ✕ 「在宅患者訪問診療料Ⅰの2」と「在宅悪性腫瘍患者共同指導管理料」を算定した場合の例外がある

3-9 答え ◯

3-10 答え ◯

3-11 答え ◯

3-12 答え ✕ 何回でも算定できる

3-13 答え ◯

3-14 答え ✕ 緊急往診加算もある

3-15 答え ✕ 12月29日，30日も該当するが，土曜日は該当しない

3-16 答え ✕ 朝の6時から8時の時間帯でも夜間・休日往診加算が算定できる

3-17 答え ◯

3-18 答え ✕ 3ヵ月ではなく6ヵ月

3-19 答え ◯

3-20 答え ✕ 1人は往診料と再診料，2人目は再診料のみを算定する

3-21 答え ✕ 15歳未満の小児（小児慢性特定疾病医療支援の対象である場合は20歳未満の者）が，低体温，けいれん，意識障害，急性呼吸不全等が予想される場合に算定できる

3-22 答え ✕ 往診料には同一建物居住者の概念はない

3-23 答え ✕ 渡り廊下は該当しない

3-24 答え ◯

3-25 答え ✕ 60日以内の患者

3-26 答え ✕ 死亡日から遡って30日以内の患者はカウントしない

3-27 答え ✕ 1人目は在宅患者訪問診療料の「同一建物居住者以外」を算定し，2人目以降は初診料または再診料を算定する

3-28 答え ◯

3-29 答え ◯

3-30 答え ◯

3-31 答え ✕ 在宅ターミナルケア加算と看取り加算は2024年改定で，往診料の加算としても新設された．

第4章

4-1 答え ◯

4-2 答え ◯

4-3 答え ◯

4-4 答え ✕ ケアマネジャーへの報告は要件化されているため，情報提供をしなければならない

4-5 答え ✕ 入居者数ではなく在総管と施設総管を算定する者の人数

4-6 答え ✕ 施設総管を算定する

4-7 答え ✕ 要件を満たせば全員に算定できる

4-8 答え ✕ 同一世帯では1人の場合で算定できる

4-9 答え ○

4-10 答え ✕ 在宅寝たきり患者処置指導管理料は併せて算定できない

4-11 答え ○

4-12 答え ○

4-13 答え ✕ 在宅酸素療法指導管理だけでは対象にならない

4-14 答え ✕ 要介護3以上が対象

4-15 答え ✕ 含まれない

4-16 答え ○

4-17 答え ✕ サービス利用開始後30日

4-18 答え ✕ 在宅療養支援診療所以外の診療所と病院が算定できる

4-19 答え ✕ 6ヵ月ではなく3ヵ月

4-20 答え ○

4-21 答え ○

4-22 答え ✕ 障害者では身体障害者手帳の要件はなく障害支援区分2以上

4-23 答え ○

4-24 答え ✕ 退院月や，15歳未満の人工呼吸器装着者，紹介月は2つの医療機関で算定できる例外がある

4-25 答え ✕ できない

4-26 答え ○

4-27 答え ✕ 算定開始日から1年間の算定が可能

4-28 答え ✕ エレンタール®，エレンタール®P，ツインライン®NFの3種類に限られる

4-29 答え ✕ 在宅小児経管栄養法指導管理料は対象薬剤の定めはない

第5章

5-1 答え ○

5-2 答え ✕ 患者の同意を得た上で指示を出す必要がある

5-3 答え ○

5-4 答え ○

5-5 答え ✕ 厚生労働大臣が定める状態等別表第8では適用されない

5-6 答え ○

5-7 答え ✕ 「厚生労働大臣が定める疾病等別表第7」では不可

5-8 答え ○

5-9 答え ○

5-10 答え ○

5-11 答え ✕ 利用者か家族の同意が必要

5-12 答え ✕ 医療保険が適用されるのは「厚生労働大臣が定める疾病等別表第7」，特別訪問看護指示中に該当する場合

5-13 答え ✕ 介護認定を受けていない「厚生労働大臣が定める状態等別表第8」の者も該当

5-14 答え ✕ 1日に複数回の訪問看護は行える

5-15 答え ✕ 3ヵ所の訪問看護ステーションが利用できる

5-16 答え ○

5-17 答え ○

5-18 答え ✕ 訪問看護指示書の交付がないと行えない

5-19 答え ○

5-20 答え ○

5-21 答え ✕ 診療日でなくてもよい

5-22 答え ✕ 診療日でなければならない

5-23 答え ○

5-24 答え ✕ 月に2回発行できるのは気管カニューレを装着している場合と真皮を越える褥瘡の場合のみである

5-25 答え ✕ 2ヵ所

5-26 答え ○

5-27 答え ✕ カルテに指示内容を記載する

5-28 答え ✕ 有効期間は1ヵ月

5-29 答え ◯

5-30 答え ✕　有効期間は6ヵ月

5-31 答え ✕　介護保険でも要件を満たせば可

5-32 答え ✕　在宅患者訪問点滴注射管理指導料は不可

5-33 答え ◯

5-34 答え ✕　訪問看護の後の急変時の往診，退院後1ヵ月，在宅患者訪問褥瘡管理指導料を算定する場合は可

5-35 答え ✕　概念はある

5-36 答え ◯

5-37 答え ◯

5-38 答え ◯

5-39 答え ◯

5-40 答え ◯

5-41 答え ✕　特別訪問看護指示期間も入ることができる

5-42 答え ✕　対象となる疾病は末期の悪性腫瘍のみ

5-43 答え ✕　訪問診療は末期の悪性腫瘍と死亡日から遡って30日以内の患者であるが，訪問看護は末期の悪性腫瘍の患者のみである

5-44 答え ◯

5-45 答え ◯

第6章

6-1 答え ◯

6-2 答え ◯

6-3 答え ◯

6-4 答え ✕　週6回までの算定制限がある

6-5 答え ◯

6-6 答え ◯

6-7 答え ◯

6-8 答え ✕　介護保険が優先される

6-9 答え ✕　介護保険は3ヵ月

6-10 答え ✕　50%の減算

6-11 答え ✕　急性増悪時のみ医療保険になる

6-12 答え ◯

6-13 答え ◯

6-14 答え ✕　6ヵ月に1回

6-15 答え ◯

6-16 答え ◯

6-17 答え ✕　介護認定を受けていれば介護保険

6-18 答え ◯

6-19 答え ◯

6-20 答え ◯

6-21 答え ✕　医療機関からの訪問リハビリが医療保険になる要件である急性増悪期は，訪問看護の特別訪問看護指示期間とは異なる

6-22 答え ✕　介護保険の場合はケアプランに盛り込めば何ヵ所でも可能

6-23 答え ◯

6-24 答え ✕　医療保険の場合は1ヵ月

6-25 答え ◯

6-26 答え ◯

6-27 答え ◯

6-28 答え ✕　2024年度の介護報酬改定で減算を適用しない要件ができた．

第7章

7-1 答え ✕　医師，医療機関の薬剤師も含めた6職種

7-2 答え ◯

7-3 答え ✕　薬局の薬剤師は要件によっては8回まで，歯科衛生士は4回まで算定可能

7-4 答え ◯

7-5 答え ◯

7-6 答え ◯

7-7 答え ✕　介護保険には居宅療養管理指導費がある

7-8 答え ✕　疾患名で変わることはなく，要介護・要支援の認定を受けていたら居宅療養管理指導費を算定する

7-9 答え ◯

7-10 答え ✕ 注射による麻薬投与を受けている者も含まれる

7-11 答え ✕ 一定件数を超えると減算される

7-12 答え ✕ 入院した当日に情報提供した場合に算定できる

7-13 答え ✕

7-14 答え ✕ 2024年の改定で市町村の指定を受けた居宅介護支援事業者も介護予防ケアプランを作成できるようになった

7-15 答え ✕ 筋麻痺の他，筋萎縮，関節拘縮の症状がある患者も対象

7-16 答え ✕ 関節拘縮ではなく，神経痛

7-17 答え ○

7-18 答え ✕ 有効期限は1ヵ月

7-19 答え ✕ 認められない

7-20 答え ✕ できる

第8章

8-1 答え ✕ 2024年改定で訪問看護ステーションの介護保険では文書以外の方法も認められた

8-2 答え ○

8-3 答え ✕ 算定できない

8-4 答え ✕ 「厚生労働大臣が定める疾病等別表第7」の者，「厚生労働大臣が定める状態等別表第8」の者，退院時に訪問看護が必要と認められる者には行える

8-5 答え ✕ 外泊時の訪問看護が必要と認められる者も算定できる

8-6 答え ✕ 医療保険で算定する

8-7 答え ○

8-8 答え ✕ 月2回まで算定できる

8-9 答え ✕ サービス担当者会議では算定できない

8-10 答え ✕ 算定できない

8-11 答え ○

8-12 答え ✕ 退院時共同指導料1は在宅療養を担う医療機関，退院時共同指導料2は入院医療機関が算定する

8-13 答え ○

8-14 答え ✕ できない

8-15 答え ○

8-16 答え ✕ 看護師等の参加でも算定できる

8-17 答え ✕ 入院したその日のうちに情報提供しないと算定できない

8-18 答え ✕ 入院した翌日，または翌々日に情報提供しないと算定できない

8-19 答え ○

8-20 答え ✕ 医療保険では算定できるが，介護保険では算定できない

8-21 答え ○

8-22 答え ✕ 含まれない．相談支援専門員とは，障害者の相談，支援を行う専門職のこと

8-23 答え ○

8-24 答え ✕ 含まれる

8-25 答え ○

8-26 答え ✕ 「厚生労働大臣が定める疾病等別表第7」では算定不可

8-27 答え ○

8-28 答え ✕ 介護保険で新設された

8-29 答え ○

第9章

9-1 答え ✕ 決断は変わっても良い

9-2 答え ○

9-3 答え ✕ 求められておらず，同意書を記載したとしても気持ちは変わってよい

9-4 答え ○

9-5 答え ✕ 本人の意思を最優先する

9-6 答え ✕ 結果ではなく，過程が大切である

9-7 答え ○

9-8 答え ○

9-9 答え × 在宅療養支援診療所・在宅療養支援病院はその他の医療機関よりも高い点数が算定できる

9-10 答え × 3日間ではなく，4日間

9-11 答え × 末期の悪性腫瘍患者が対象

9-12 答え ○

9-13 答え ○

9-14 答え × 2024年の改定で往診料も要件を満たせば加算できるようになった

9-15 答え × 死亡日前14日以内に退院時共同指導を行い，往診した場合に算定できる

9-16 答え ○ 2024年の改定で往診料でも要件を満たせば加算できるようになった

9-17 答え × 死亡診断加算と看取り加算は併算定できない

9-18 答え ○

9-19 答え ○

9-20 答え ○

索引

著者略歴

永井 康徳（ながい やすのり）
医療法人ゆうの森 理事長 たんぽぽクリニック

2000年に愛媛県松山市で在宅医療専門クリニックを開業．職員4人，患者ゼロからスタートする．「理念」，「システム」，「人材」において高いレベルを維持することで，在宅医療の「質を高めること」を目指してきた．現在は職員数約100人となり，多職種のチームで協働して行う在宅医療を主体に有床診療所，外来診療も行う．2012年には市町村合併の余波で廃止となった人口約1,100人の町の公立診療所を民間移譲した．このへき地医療への取り組みで，2016年に第1回日本サービス大賞地方創生大臣賞を受賞．全国での講演会をはじめ，「全国在宅医療テスト」や「今すぐ役立つ在宅医療未来道場（通称いまみら）」，松山市内の専門職向け研修会「流石カフェ」等を定期的に開催し，在宅医療の普及にも積極的に取り組んでいる．

【主な経歴】
・2016年 第1回日本サービス大賞地方創生大臣賞
・2016年 厚生労働省「新たな医療の在り方を踏まえた医師・看護師等の働き方ビジョン検討会」構成員
・2017年 厚生労働省「医療従事者の需給に関する検討会医師需給分科会」構成員
・2018年 医師の働き方改革を進めるためのタスク・シフト / シェアの推進に関する検討会構成員

江篭平 紀子（えごひら のりこ）
医療法人ゆうの森 業務サポート室 室長

2003年にたんぽぽクリニックに入職．主に医療事務業務を担当し現在は医療法人ゆうの森の業務サポート室室長を務める．ゆうの森の医療事務を統括し，全国在宅医療テストの問題作成にも携わっている．

永吉 裕子（ながよし ゆうこ）
元・医療法人ゆうの森 企画広報室 室長．鍼灸師，あん摩・マッサージ・指圧師，介護支援専門員．

京都女子大学短期大学部（1984年度卒），鹿児島鍼灸専門学校（2005年度卒）．
30代のフリーライター時代に父母をガンで亡くしたことをきっかけに鍼灸マッサージ師を志す．資格取得後，医療法人ゆうの森入職．はりきゅうマッサージ治療院クローバ院長を経て，企画広報室室長に．現在は大阪府在住．
・YouTube：自宅で肉親を看取った方へのインタビュー動画「看取りチャンネル」開設

たんぽぽ先生から学ぶ
在宅医療報酬算定ビギナーズ

2020 年 9 月 5 日　1 版 1 刷　　　　　　©2024
2022 年 8 月 1 日　2 版 1 刷
2023 年 3 月 20 日　　　　2 刷
2024 年 8 月 1 日　3 版 1 刷

著　者
ながい やすのり　　え ご ひらのり こ　　ながよしゆう こ
永井康徳　　江篭平紀子　　永吉裕子

発行者
株式会社 南山堂　　代表者 鈴木幹太
〒113-0034　東京都文京区湯島 4-1-11
TEL 代表 03-5689-7850　　www.nanzando.com

ISBN 978-4-525-50093-1

訪問看護 早わかりチャート

1 年齢

【確認すること】
・介護保険の要介護認定を受けられるかどうか？
・医療保険の自己負担割合と自己負担限度額（高額療養費制度）を確認し、患者の経済的負担も考えたマネジメントをする。

● 介護保険の要介護認定を受けられるか
① 65歳以上の場合
要介護認定を受ければ、介護保険の給付対象となる。
② 40歳以上65歳未満の場合
第2号被保険者が介護保険認定を受けられる。
→要支援・要介護認定が出れば、介護保険の給付対象となる特定疾病に該当
③ 40歳未満の場合
→障害者総合支援法の対象となり得るかどうか検討する。

患者の年齢と介護保険の対象

患者の年齢	介護保険の対象
65歳以上（第1号被保険者）	自立している人以外
40歳～64歳（第2号被保険者）	特定疾病のみ
40歳未満	どんな疾患・状態でも対象にならない

● 医療保険の自己負担割合

年齢	一般・低所得者	現役並み所得者
75歳以上	1割または2割	3割
70～75歳未満	2割	3割
70歳未満（義務教育就学後）	3割	

① 70歳未満

医療保険における月額自己負担限度額（高額療養費制度）

区分	月の上限額
年収約1,160万円以上	25万2,600円＋（医療費－84万2,000円）×1％（年4回目以降：14万100円）
年収約770万～約1,160万円	16万7,400円＋（医療費－55万8,000円）×1％（年4回目以降：9万3,000円）
年収約370万～約770万円	8万100円＋（医療費－26万7,000円）×1％（年4回目以降：4万4,400円）
～年収約370万円	5万7,600円（年4回目以降：4万4,400円）
住民税非課税	3万5,400円（年4回目以降：2万4,600円）

② 70歳以上

区分	外来（個人ごと）	月の上限額（世帯）
年収約1,160万円以上	25万2,600円＋（医療費－84万2,000円）×1％（年4回目以降：14万100円）	
年収約770万～約1,160万円	16万7,400円＋（医療費－55万8,000円）×1％（年4回目以降：9万3,000円）	
年収約370万～約770万円	8万100円＋（医療費－26万7,000円）×1％（年4回目以降：4万4,400円）	
一般所得者	1万8,000円（年額では上限14万4,000円）	5万7,600円（年4回目以降：4万4,400円）
低所得者Ⅱ	8,000円	2万4,600円
低所得者Ⅰ	8,000円	1万5,000円

2 主病名

【確認すること】
・別表第7、第2号被保険者が介護保険の給付対象となる特定疾病に該当するか？
・医療費の公費助成となる「指定難病」に該当するか？

● 別表第7に該当すれば、下記特例がある
→訪問看護が医療保険適応になる
・週4日以上の訪問看護　訪問看護が可能になる
・最多3カ所の訪問看護ステーションから訪問看護を行える
（毎日訪問する必要がある場合）
・1日に複数回の訪問看護が可能
・外泊時や退院日の訪問看護が可能、他

別表第7（特掲診療料の施設基準等別表第7に掲げる疾病等）

① 末期の悪性腫瘍
② 多発性硬化症
③ 重症筋無力症
④ スモン
⑤ 筋萎縮性側索硬化症
⑥ 脊髄小脳変性症
⑦ ハンチントン病
⑧ 進行性筋ジストロフィー症
⑨ パーキンソン病関連疾患
　a 進行性核上性麻痺
　b 大脳皮質基底核変性症
　c パーキンソン病
　（ヤール分類Ⅲ以上かつ生活機能障害度ⅡまたはⅢ）
⑩ 多系統萎縮症
　a 線条体黒質変性症
　b オリーブ橋小脳萎縮症
　c シャイ・ドレーガー症候群
⑪ プリオン病
⑫ 亜急性硬化性全脳炎
⑬ ライソゾーム病
⑭ 副腎白質ジストロフィー
⑮ 脊髄性筋萎縮症
⑯ 球脊髄性筋萎縮症
⑰ 慢性炎症性脱髄性多発神経炎
⑱ 後天性免疫不全症候群
⑲ 頸髄損傷
⑳ 人工呼吸器を使用している状態

● 指定難病
認定すれば医療費（一部の介護サービス費用も該当）は公費助成の対象となる。

3 ADL（日常生活動作）

【確認すること】
・在宅医療の適応があるか？
・身体障害者手帳・重度心身障害者医療の対象となるか？
・重傷心身障害者手当が支給されるか？

・通院困難な状態　→　在宅医療の対象
還元できる状態　→　身体障害者手帳・重度心身障害者医療の対象　の経済的負担を軽減できる。

在宅医療の適応となる人はほとんどの場合、寝たきりや寝たきりに準ずる状態で身体に障害を有しているため、身体障害者手帳交付の対象となる。手帳が交付されると、医療費などの助成が受けられる。

週に何日入れる？
何カ所入れる？

訪問看護が医療保険になる3つの呪文

医療保険の訪問看護
① 介護保険の認定を受けていない場合
② 厚生労働大臣が定める疾病等（別表第7）の場合
③ 特別訪問看護指示期間

介護保険の訪問看護

	介護保険の訪問看護	①介護保険の認定を受けていない場合		②別表第7に該当	③特別訪問看護指示期間
		別表第8に該当しない	別表第8に該当する		
1日に何回？	ケアプラン内なら何回でもOK	1日1回まで	1日に複数回の訪問可能		
週に何日？	ケアプラン内なら何日でもOK	週3日まで	毎日の訪問可能		
訪問看護ステーションは何カ所まで入れる？	ケアプラン内なら何カ所でもOK	1カ所に限る	2カ所OK　別表第7か別表第8に該当し，毎日訪問が必要な場合なら3カ所も可能		

たんぽぽ先生の 在宅医療の **5つの呪文**

在宅医療では退院時の支援や多種や多職種連携を図るためにカンファレンスがよく開催されます。その際に、この「5つの呪文」を使って患者情報をプレゼンテーションすると、在宅医療で使える制度がほぼわかります。ぜひご利用ください。

在宅医療の「5つの呪文」とは？

(1) 年齢
- 要介護認定は受けられるか
- 医療保険の自己負担割合と自己負担限度額（高額療養費制度）を確認する

(2) 主病名（通院困難となった主病名）
- 「特掲診療料の施設基準等別表第7に掲げる疾病等（別表第7）」に該当するか
- 指定難病に該当するか
- 介護保険の第2号被保険者の場合は、介護保険の給付対象か

(3) ADL（日常生活動作）
- 在宅医療の適応か
- 身体障害者手帳、重度心身障害者医療の対象か
- 特別障害者手当が支給されるか

(4) 医療処置
- 「特掲診療料の施設基準等別表第8に掲げる状態等（別表第8）」に該当するか

(5) 居住場所
- （住んでいる場所によって、在宅医療を受けられる条件が変わること）等

たんぽぽ先生から学ぶ 在宅医療報酬算定 ビギナーナース 改訂3版（南山堂）特別付録

別表第8 〈特掲診療料の施設基準等別表第8に掲げる状態等〉

(1)
- 在宅麻薬等注射指導管理、在宅腫瘍化学療法注射指導管理、在宅強心剤持続投与指導管理、在宅気管切開患者指導管理を受けている状態にある者

(2) 以下の指導管理を受けている状態にある者
- 在宅自己腹膜灌流指導管理
- 在宅血液透析指導管理
- 在宅酸素療法指導管理
- 在宅中心静脈栄養法指導管理
- 在宅成分栄養経管栄養法指導管理
- 在宅自己導尿指導管理
- 在宅人工呼吸指導管理
- 在宅持続陽圧呼吸療法指導管理
- 在宅自己疼痛管理指導管理
- 在宅肺高血圧症患者指導管理

(3) 人工肛門または人工膀胱を設置している状態にある者
(4) 真皮を超える褥瘡の状態にある者
(5) 在宅患者訪問点滴注射管理指導料を算定している者

指導管理＋5と覚える！
① 気管カニューレ
② ストーマ（人工肛門）または人工膀胱
③ 真皮を超える褥瘡
④ 留置カテーテル（胃ろう・経管栄養チューブ合む）
⑤ 週3日以上の点滴

---

④ 医療処置

【確認すること】
・特掲診療料の施設基準等別表第8に掲げる状態等に該当するか？

● 別表第8に該当すれば、下記の特例がある

⇒〈訪問看護（医療保険の訪問看護の場合）〉
- 週4日以上の訪問看護になる＊
- 最多で3カ所の訪問看護ステーションが訪問看護を行える（毎日訪問する必要がある場合）＊
- 1日に複数回の訪問看護が可能、複数名での訪問看護が可能＊
- 外泊時の訪問看護が可能＊
- 長時間の訪問看護が可能＊
- 特別管理加算の算定ができる　他

⇒〈訪問診療〉
- 退院時共同指導料1の特別管理指導加算が算定できる

在宅医療の制度をしっかり理解して、患者さんの不利益にならないマネジメントをしましょう！

---

⑤ 居住場所

【確認すること】
患者が住んでいる場所によって、在宅医療を受けられる条件が異なります。

	訪問診療	介護保険の訪問看護	医療保険の訪問看護
自宅、サ高住（特定施設以外）	○	要介護者	●別表第7に該当 ●特別訪問看護指示期間 ●要介護認定を受けていない
グループホーム 特定施設	○	×	●別表第7に該当 ●特別訪問看護指示期間
特別養護老人ホーム	●末期の悪性腫瘍、死亡日からさかのぼって30日以内	×	●末期の悪性腫瘍の場合
看護小規模多機能＆小規模多機能の宿泊	●サービス利用前30日以内に訪問診療料を算定している場合、サービス利用開始後30日以内利用可	●サービス利用前30日以内に患家で訪問看護を実施している場合30日以内利用可	●別表第7に該当 ●特別訪問看護指示期間＊ ＊（サービス利用前30日以内に患家で訪問看護を実施している場合。利用開始後30日以内利用可） ●末期の悪性腫瘍患者は、サービス利用前30日以内に訪問看護等を患家で算定している場合（日中不可）
短期入所生活介護	●退院日からサービスの利用を開始した患者は、サービスの算定に関わらず、退院日の訪問診療料等の算定は退院日を除き利用可		●末期の悪性腫瘍の場合で、サービス利用前30日以内に患家で訪問看護を実施している場合30日以内利用可（特養併設型の場合のみ）